COMO SER UMA **Parisiense**

COMO SER UMA Parisiense

Em qualquer lugar do mundo

ANNE BEREST
AUDREY DIWAN
CAROLINE DE MAIGRET
SOPHIE MAS

Tradução

Julia Nemirovsky

8ª reimpressão

Direitos autorais © 2014, Anne Berest, Audrey Diwan, Caroline de Maigret e Sophie Mas.

Grafia atualizada segundo o Acordo Ortográfico da Língua Portuguesa de 1990, que entrou em vigor no Brasil em 2009.

Título original
How To Be Parisian Wherever You Are

Capa
Design original Two Associates adaptado por Tita Nigrí

Caligrafia da capa
Ward Schumacher

Ilustração de capa
Emma Svensson

Revisão
Carolina Rodrigues
Raquel Correa
Suelen Lopes

---
cip-Brasil. Catalogação na fonte
Sindicato Nacional dos Editores de Livros, rj
---

c728

    Como ser uma parisiense: em qualquer lugar do mundo / Anne Berest ... [et al.]; tradução Julia Nemirovsky. - 1ª ed. - Rio de Janeiro: Objetiva, 2014.

    Tradução de: *How To Be Parisian Wherever You Are*
272p.

    isbn 978-85-390-0623-6

    1. Mulheres - Conduta. 2. Moda. 3. Beleza física. 4. Cuidados com a beleza. 5. Estilo de vida. I. Berest, Anne. II. Diwan, Audrey. III. Maigret, Caroline de. IV. Mas, Sophie.

14-14781	cdd: 642.7
	cdu: 646

[2021]
Todos os direitos desta edição reservados à
editora schwarcz s.a.
Rua Bandeira Paulista, 702, cj. 32
04532-002 — São Paulo — sp
Telefone: (11) 3707-3500
facebook.com/Fontanar.br
twitter.com/fontanar_br

*Uma história deve ter início, meio e fim,
mas não necessariamente nessa ordem.*

— JEAN-LUC GODARD

SUMÁRIO

INTRODUÇÃO | *xiii*

1. Grandes Princípios

AFORISMOS | *3*

A PARISIENSE VISTA POR UM PARISIENSE | *4*

O QUE NÃO ENTRA NO ARMÁRIO DE UMA PARISIENSE | *8*

AS PARISIENSES MAIS FAMOSAS SÃO ESTRANGEIRAS | *10*

PRIMEIRO ENCONTRO NO CAFÉ DE FLORE | *14*

HUMOR PARISIENSE | *18*

PUZZLE PARISIENSE – INVERNO/VERÃO | *20*

A MELANCOLIA | *22*

MÃE IMPERFEITA | *24*

COMO ATENDER O TELEFONE? | *26*

A VIRTUDE DA PEÇA NOBRE | *28*

AO NATURAL | *32*

A PARISIENSE EM UM BANCO DE PRAÇA | *38*

QUANDO O MAU GOSTO É INDISCUTÍVEL | *40*

KIT DE SOBREVIVÊNCIA | *41*

CENAS DA VIDA PARISIENSE – TAKE 1 | *42*

2. Reconheça seus Maus Hábitos

OS PARADOXOS | *46*

COMO FAZER SEU NAMORADO ACHAR... QUE VOCÊ TEM UM AMANTE | *48*

A PARISIENSE AO VOLANTE | *50*

A ARTE DO BEIJO | *54*

COMO RECEBER PARA UM JANTAR | *56*

FRIA OU REFRESCANTE? | *66*

ESSE BIQUINHO PARISIENSE | *70*

ESNOBISMOS PARISIENSES | *72*

A PARISIENSE NO ESCRITÓRIO | *74*

FILHOS: O QUE ELA NUNCA CONFESSA | *76*

GAFES | *78*

COMO DESESTABILIZAR OS HOMENS | *80*

O DILEMA DA ACADEMIA | *82*

CENAS DA VIDA PARISIENSE – TAKE 2 | *84*

3. Cuide da Aparência

LOOK 24h | *88*

O ESSENCIAL | *90*

TRÊS CENTÍMETROS, E NEM UM A MAIS | *94*

A BIBLIOTECA | *96*

A MINISSAIA | *100*

SALVAR A PELE | *102*

RIQUEZA | *104*

O PRETO É UMA COR LUMINOSA | *106*

O TEMPO SUSPENSO | *108*

AZUL-MARINHO | *112*

VISTA POR UM ESCRITOR AMERICANO | *114*

AS SIMONES | *116*

NO CAMPO | *120*

A MELHOR VERSÃO DE SI MESMA | *124*

DÊ TEMPO AO TEMPO | *127*

JOIAS | *128*

CENAS DA VIDA PARISIENSE — TAKE 3 | *130*

4. Ouse Amar

O HOMEM IDEAL | *134*

TEXTO OTIMISTA SOBRE O AMOR | *136*

AS VERDADEIRAS ARMAS | *138*

APAIXONADA PELO AMOR | *144*

OS CONSELHOS DAS NOSSAS MÃES | *146*

AQUELE DETALHE A MAIS | *148*

A FESTA | *152*

ALMOÇO PÓS-SEXO | *158*

NUDEZ | *160*

TURMA DE MENINAS | *163*

AQUELE HOMEM QUE NUNCA SERÁ SEU | *164*

CASAMENTO À PARISIENSE | *167*

QUARTOS SEPARADOS | *172*

CENAS DA VIDA PARISIENSE — TAKE 4 | *176*

5. Conselhos Parisienses

LISTA DE AFAZERES | *180*

PARA RECORTAR | *188*

O BÊ-Á-BÁ DO ADULTÉRIO | *190*

A ARTE DO CONVENCIMENTO | *192*

INDISPENSÁVEIS DA COZINHA FRANCESA | *194*

ARRUMAR UMA MESA | *200*

POT-POURRI | *202*

CAVALHEIRISMO | *204*

ILUMINAÇÃO | *206*

NOITE DE JOGOS | *208*

PEQUENOS LUXOS ESSENCIAIS | *212*

RECEITAS DE DOMINGO | *214*

SEGREDOS DOS CAMPOS | *218*

QUANDO VOCÊ VÊ ESSES FILMES, ESTÁ EM PARIS | *222*

CENAS DA VIDA PARISIENSE – TAKE 5 | *226*

15 PALAVRINHAS ESSENCIAIS | *230*

CADERNO DE ENDEREÇOS | *236*

AGRADECIMENTOS | *247*

CRÉDITOS DAS IMAGENS | *248*

COMO

SER UMA

Parisiense

Em qualquer lugar do mundo

INTRODUÇÃO

Não, as parisienses não têm o gene da magreza, nem sempre é fácil conviver com elas, e tampouco são mães perfeitas.

Elas são imperfeitas, desorganizadas, imprecisas e dissimuladas.

Chegam até a ser engraçadas, atenciosas, curiosas, herdeiras de uma arte de viver tipicamente francesa.

Fora da França, isso é uma fonte infinita de curiosidade. De onde vem esse jeito blasé, esse modo de ser chique sem parecer se esforçar nada para isso? Como elas cultivam essa forma tão particular de cabelo despenteado? Como conseguem despertar tantas fantasias nos homens ao mesmo tempo que exigem a igualdade entre os sexos?

Somos quatro amigas de longa data, que seguimos dos bancos da escola até a vida adulta juntas, de mãos dadas. Quatro garotas que vivem em Paris, quatro mulheres com vidas e personalidades muito diferentes, mas unidas por esse desejo bem francês de transformar a própria vida em romance.

Nosso objetivo é lançar um olhar sobre a essência parisiense na arte de ser mulher. Somos metódicas, mas caóticas. Orgulhosas, mas autodepreciativas. Leais e ainda assim infiéis. Vamos apontar a nossa atitude, indiferença, nosso estilo discreto, como somos quando nos apaixonamos e como escolhemos passar nossos dias e noites. Esperamos que as próximas páginas dissipem o mistério.

I

GRANDES PRINCÍPIOS

AFORISMOS

Recitar todas as noites na cama, mesmo embriagada.

Não tenha medo de envelhecer. Não tenha medo de nada. Exceto do medo. ✻ **Encontre seu perfume antes dos trinta. Use-o nos trinta anos seguintes.** ✻ Quando falar. Quando sorrir. Ninguém deve ficar sabendo qual é a cor das suas gengivas. ✻ **Escolha algo que todos amam: filhotes de gato, morango... e deteste-o.** ✻ Se houver apenas um suéter no seu armário, que seja de caxemira. ✻ **Use lingerie preta sob blusa branca. Como duas semínimas em uma partitura musical.** ✻ É preciso viver com o sexo oposto. E não contra ele. Exceto durante o sexo. ✻ **Seja infiel. Traia seu perfume. Mas apenas quando estiver frio.** ✻ Cultura é como consumir produtos frescos: deixa a pele rosada. ✻ **Conheça suas qualidades. Conheça seus defeitos. Cultive-os em segredo. Mas não se apaixone por eles.** ✻ Disfarce o esforço. Tudo deve parecer fácil e leve. ✻ **Maquiagem demais. Cores demais. Acessórios demais. Respire. Alivie. Reduza.** ✻ Que o seu look tenha sempre um detalhe descuidado. Já que o diabo está nos detalhes. ✻ **Você é sua própria heroína. Antes de mais nada.** ✻ Corte você mesma o seu cabelo. Ou peça para sua irmã cortar. Claro, você conhece ótimos cabeleireiros. Mas eles são só seus amigos. ✻ **Esteja sempre pronta para transar. Domingo de manhã na padaria, ao comprar cigarros no meio da noite, ou esperando as crianças na frente da escola. Nunca se sabe.** ✻ Nada de cabelos brancos. Ou apenas cabelos brancos. ✻ **A moda domina o mundo. As parisienses dominam a moda.** ✻ É verdade? Não importa. O mundo precisa de lendas.

A parisiense vista por um parisiense

"Quem seria a melhor pessoa para descrever uma parisiense?"

É uma pergunta que eu me fazia há muito tempo, antes de ter esta epifania: ele, óbvio.

Este cara aqui na minha frente, na cozinha. O homem com quem compartilho minha vida.

Surpreso com minha pergunta, ele murmura algumas frases.

Olho para ele, um pouco irritada.

Será que ele não conseguiria pensar em nada mais original do que aqueles clichês sem graça sobre nossa beleza estonteante e nosso mar de perfumes?

— Ah, você está falando sério? Você quer que eu elabore? — pergunta, antes de se debruçar sobre a pia e começar. E não parar mais. Um pouco como se recitasse uma oração que soubesse de cor e que pudesse dizer de olhos fechados.

— Em primeiro lugar — disse —, a parisiense nunca está contente. A prova: eu falo que você é a mulher mais linda do mundo e isso nunca é suficiente.

"A parisiense pensa que é um modelo a ser seguido. Inunda o mundo com seus conselhos de vida em seus blogues ou livros. Além disso, ela *adora* que lhe peçam conselhos. Normal. Ela já fez de tudo na vida. Já viu de tudo. Entendeu tudo.

"Por exemplo, a parisiense deseja sempre se passar pelo seu médico — ela é um gênio. Dentista — não há nenhum à altura da arcada dentária dela. Ginecologista — o dela é o mesmo da Catherine Deneuve, claro. A parisiense, não satisfeita em ser esnobe, é tão esnobe que não sente nenhuma vergonha em gritar isso aos quatro ventos. E qual é o problema? A parisiense é arrogante.

"Ela se interessa por arte, por cultura, por política. Ela se cultiva da mesma forma que cultiva rabanetes na varanda: com amor. Com o regador em punhos, ela explica que o último filme que ganhou a Palma de Ouro é um desastre. Ela, claro, não assistiu. Não importa. A parisiense não precisa se aprofundar em um assunto. Ela já sabe qual deve ser a opinião dela — o contrário da sua.

"A parisiense está sempre atrasada. Ela tem coisas importantes para fazer, ao contrário de você. Ela nunca se maquia para um encontro romântico. Claro. Ela é naturalmente linda. Não precisa disso. Por outro lado, é capaz de passar batom antes de ir à padaria no domingo: e se ela cruzar com um conhecido?

"Ela é paranoica, quase megalomaníaca. Se o esforço que ela faz para encontrar algo do que reclamar fosse usado para resolver equações, receberia o prêmio Nobel de matemática todos os anos.

"Cuidado se ela disser que o seu namorado novo é 'muito original'. Para ela, 'original' não é elogio.

"Se ela atravessa a rua fora da faixa? Ela se justifica dizendo que tem uma natureza rebelde. Aquelas pessoas na fila do sinal a deixam agoniada.

"Ela nem sempre diz 'obrigada', nem sempre diz 'bom dia', mas detesta a falta de educação dos garçons parisienses.

"Ela fala sem titubear uns palavrões que não se ouve nem no bar mais baixo nível. Mas fica horrorizada quando as pessoas dizem *Bon appétit*. Cafonice é pior do que falta de educação.

"Ela nunca tira os óculos escuros, mesmo nos dias de chuva, mas desdenha das celebridades que acham que são invisíveis por detrás daquelas lentes...

"Se eu tivesse que definir a parisiense em uma só palavra, essa parisiense que eu conheço tão bem, a palavra seria *maluca*."

O QUE NÃO ENTRA NO ARMÁRIO DE UMA PARISIENSE

* Salto baixo. Por que estar por baixo quando se pode estar por cima?

* Logotipo. Você não é um outdoor.

* Náilon. Poliéster. Viscose. Vinil. Deixam sua pele suada, pegajosa e brilhante. Ou seja, você não só fica fedendo, como isso se vê de longe.

* Moletom. Nenhum homem deve testemunhar você de moletom. Fora o seu personal trainer. E olhe lá.

* Calças jeans muito espalhafatosas, com rasgos ou bordados. Essa é a roupa perfeita — para Bollywood.

* Botas fofonas, estilo Ugg. Não rola.

* Blusas que mostram o umbigo. Porque você não tem mais quinze anos.

* Bolsa de marca falsificada. É que nem implante de silicone. Não é assim que se supera um complexo.

Na verdade, se a parisiense pudesse passar a vida toda usando só um trench coat da Burberry com nada por baixo, estaria no paraíso.

As parisienses mais famosas são estrangeiras

É verdade... frequentemente, a parisiense vem de fora. Ela não nasceu em Paris, mas lá renasceu. Por exemplo:

MARIA ANTONIETA

Maria Antonieta era austríaca. Quando chegou à França para se casar com Luís XVI, tinha apenas 14 anos. Tornou-se rainha quatro anos depois. Com uma personalidade fútil, ela deu início à obsessão pela moda. Apaixonou-se por outro homem... sonhou em ser atriz de teatro, ou em criar ovelhas: ela inventou a própria vida.

JOSÉPHINE BAKER

Joséphine Baker, de Saint-Louis, no Missouri, não adotou apenas a nacionalidade francesa, mas tornou-se francesa de corpo e alma: juntou-se à Resistência durante a Segunda Guerra Mundial.
Ela foi uma das maiores estrelas parisienses. Suas apresentações de dança e esquetes no cabaré *Folies Bergères* conquistaram Paris.
Era ágil tanto com os quadris quanto com o cérebro. Ficou muito famosa com a música "J'ai deux amours… mon pays et Paris" (Tenho dois amores, meu país e Paris).

ROMY SCHNEIDER

A atriz de *Sissi, a imperatriz* descobriu em Paris a imprudência, o inconformismo e as noites em claro. Os franceses se apaixonaram imediatamente por essa vienense. Admiravam seu charme, sua gentileza e sua fragilidade. Ela logo se tornou um exemplo de feminilidade para todas as parisienses.

JANE BIRKIN

Jane Birkin, a atriz e cantora inglesa, tornou-se a mais parisiense das parisienses. Ela cantou a inesquecível *Je t'aime, moi non plus* em 1969 com Serge Gainsbourg, e atuou em diversos filmes, dentre os quais *Blow-up* e *Don Juan*, com Brigitte Bardot. Seu sotaque inglês conquistou todos os franceses, e ela tornou-se patrimônio nacional. As filhas, Charlotte Gainsbourg e Lou Doillon, seguiram seus passos e continuam a nos dar lições atemporais de estilo: o jeans usado, o trench coat, os tênis.

Primeiro encontro no Café de Flore

Ela levanta o cardápio com as duas mãos. Como sempre, a mesma ideia assoma em sua mente: isso não é um cardápio, e sim um mapa. Uma expedição íntima, caótica, complicada, pela selva das suas neuroses alimentares. E, entretanto, ela sabe que terá que achar seu caminho sem tropeçar, sem deixar de sorrir e, sobretudo, sem transparecer todas as dúvidas que cruzam seu pensamento.

Salmão defumado

Não, péssima escolha. Ela vai comer todas as panquequinhas e o creme que as acompanha; o salmão é só uma desculpa. Essa gulodice poderia acabar recheando seus quadris, ela precisa se cuidar.

Será que o homem sentado em frente a ela se dá conta da dificuldade que é ser uma mulher nessa cidade? Provavelmente não. Ela tenta não chegar a conclusões precipitadas. Continua a passear pela coluna das entradas, onde se sente em casa.

Salada de ervilhas frescas

O problema do primeiro encontro é a dimensão que toma o menor dos gestos. Ele a observa como se estivesse em um filme, registrando cada movimento para a eternidade, o modo como ela perdeu o celular naquela bolsa enorme que trouxe, a maneira como ela mesma se perde dentro da bolsa para procurá-lo, e aquela mensagem que ela teve absolutamente que ouvir na frente dele. Ele a analisa o tempo todo. Desordenada, um pouco nervosa, compulsivamente sociável. Talvez ele tenha percebido a dificuldade que ela está tendo para escolher um prato. Mas ela não quer que ele perceba de primeira a guerra que ela trava em silêncio. Mais para a frente, talvez, ele descubra que ela se pesa todas as manhãs. Por enquanto, ele precisa pensar que sua cintura fina é simplesmente um presente de Deus. Seria melhor, portanto, pedir um prato de verdade, interpretar o velho papel da pessoa que desfruta todos os prazeres da vida.

Confit de pato quente

Seu dedo, um pouco nervoso, desce algumas linhas naquele maldito cardápio. Ela não encontra uma escolha digna e fica com raiva de si mesma. Porque aqui, na varanda, os minutos passam, as pessoas esbarram nela, o garçom se aproxima. Ela sabe que vai ter que chegar a uma conclusão muito em breve. Por fim, decide enfrentar o perigo arriscando corajosamente. Ela vai pedir um prato surpreendente.

Welsh rarebit

É uma aventureira, e o demonstra orgulhosamente. Ela instaura uma diferença clara entre ela e as outras mulheres. Expõe sua audácia sem disfarces, sobre a mesa, como um troféu. Pronuncia aquele nome com a descontração de quem já o fez centenas de vezes. E espera que o garçom não repreenda sua pronúncia, entregando a pequena encenação. O homem na frente dela a encara, surpreso. Ela saboreia o impacto que causou. Claro, ela não faz ideia do que acaba de pedir. No cardápio, em letras miúdas, está escrito: "especialidade à base de queijo cheddar, cerveja e torradas". Ela sorri mentalmente: intragável. Mas não importa, ela vai falar bastante para que ele nem perceba que ela mal vai tocar no prato. O garçom se vira em direção ao homem.

Ele diz: "A mesma coisa, por favor."

E toda a narrativa desmorona, de repente. Ah, não, um submisso, um seguidor, que tédio. Ela arregala os olhos e se dá conta de que a conversa que estão tendo há mais de meia hora também é, por sua vez, repleta de banalidades. Ela já sabe, comerá duas garfadas e inventará uma desculpa para sair mais cedo. E não o verá nunca mais. *Adieu*.

HUMOR PARISIENSE

Nada mais difícil do que definir o humor. Nada mais chato também. Cada humor é de um jeito, com suas particularidades, sua cultura.

Se a gente tivesse que explicar o humor parisiense, diria que ele é ao mesmo tempo frio e sarcástico. Ele apresenta traços de um desespero alegre, uma atração pelos paradoxos, uma certa desilusão com a vida e com o amor (mas ainda assim certo de que tudo vale a pena). Os temas prediletos são as relações entre homens e mulheres, quase sempre com foco na sexualidade ou na disputa de poder entre eles. Ele é irreverente e adora tabus, sem descambar para o mau gosto. Ele nunca toma a forma de uma "piada" propriamente dita. Mas está sempre presente, em todas as circunstâncias.

É um humor esnobe, pendendo para a autodepreciação. É inclusive considerado de bom gosto contar histórias das mais constrangedoras sobre si mesmo. Entreter os amigos reconhecendo seus próprios defeitos e dificuldades é um verdadeiro esporte, praticado justamente pelos parisienses sedentários, uma vez que rir é melhor para a saúde do que chorar (e quem sabe isso compensa os anos fora da academia?).

"Quer se casar comigo e ser minha primeira esposa?"

— SACHA GUITRY

PUZZLE PARISIENSE — **INVERNO**

PUZZLE PARISIENSE — **VERÃO**

Um happy hour	Um desconhecido no ônibus	Gargalhada	Suco de laranja	Balcão lotado	Vestidinho leve do verão passado
Saltos altos	A varanda de um café	O selim da bicicleta	Telhado de zinco	Uma noite em claro	Bronzeado do dia a dia
Desfile do dia 14 de julho	Nuvens atravessando o céu	Baile dos bombeiros	Uma volta na roda-gigante	Unhas dos pés pintadas	Uma taça de vinho rosé
Um livro de Françoise Sagan	Chuva inoportuna	Um longo passeio de bicicleta	Um buquê de peônias	O museu Picasso	Cobertura de morango
Sabonete de Marselha	Sorvete de verbena	Um biquíni novo	Roupas esquecidas no armário	O Sena, sempre	Uma exposição fotográfica
O Bois de Boulogne	Um vestido envelope	Sombra de olhos	Sapatilhas de verniz	Um drinque docinho	Um dia no escritório
Chá de hortelã	Melão maduro	Cheiro fresco da pele	Festival de música	A piscina de Pontoise	Brunch em Saint-Germain
Salada *niçoise*	Uma blusa de marinheiro linda	Parisienses sorrindo	Mancha roxa no joelho	Pôr do sol	O anis do pastis

A MELANCOLIA

Você é parisiense, ou seja, é melancólica. É tomada por um sentimento embalado pela cidade onde vive. Você conhece essa tristeza sem motivo, essa esperança sem porquê. Todas as lembranças perdidas e os perfumes que voltam à memória. Resquícios dos seres amados que já se foram. E da passagem do tempo.

Isso nunca dura muito, mas esse estado de espírito tão particular afasta você por alguns instantes do resto do mundo. E lhe empresta esse ar ausente e absorto.

Você está sentada sozinha no restaurante. Não marcou com ninguém, apenas consigo mesma. Com seu livro sobre a mesa, você fixa o olhar no horizonte, sem focar nada, sem ouvir os risos ao seu redor.

Através da janela do táxi, você observa o desfile silencioso dos quarteirões e das pessoas felizes e apressadas. A sua respiração desacelera. Você pede para o taxista aumentar o volume da música, para acompanhar seus pensamentos.

É bem cedo. Você anda no sentido contrário da multidão que entra no metrô. Está despenteada, mas as suas joias ainda reluzem as emoções da véspera. O seu coração se parte durante o caminho de volta, e você não dirá para ninguém o porquê.

Alguém fala com você, mas você não se lembrará de nada do que foi dito. Porque, de longe, sentiu esse cheiro de vela queimada, que transportou você para um bairro perdido na sua infância.

No verão, especialmente, você fica muito sensível quando amanhece. E então seu coração incha, como se abarcasse todas as memórias do mundo dentro de si. Você não quer falar com ninguém, e se tranca no seu quarto até o sol voltar a se pôr.

Mãe imperfeita

Sejamos honestos: a parisiense é uma mulher egoísta. Uma mãe carinhosa, mas ainda assim incapaz de esquecer de si mesma. Quase não há em Paris a *mater dolorosa*, a mulher cuja vida gira em torno do sacrifício, cujo maior objetivo é passar os dias fazendo tortas para sua prole. A parisiense não deixa de existir no dia em que tem um filho. Ela não renuncia a seu modo de vida um pouco adolescente, suas noites entre amigos, suas festas, nem às manhãs em que se sente acabada. A verdade é que ela não renuncia a nada. Porque, por outro lado, ela também assume seu papel de mãe. Ela não abre mão de educar os filhos, de vê-los crescer, de transmitir seus princípios, sua cultura, sua filosofia. **E o que acontece com a vida de uma mulher que não renuncia a nada? Bem, acontece o caos, muito caos.** Um caos tão constante que quase se torna uma nova forma de ordem, de tão perene que é. E talvez esse seja o maior princípio do sistema educativo da mãe parisiense: seu filho não é um rei, e sim um satélite da sua vida. Ao mesmo tempo, ele é onipresente, pois o satélite vai aonde a mãe for e compartilha com ela todos os seus momentos preciosos. Ele pode acompanhá-la nos almoços, nas compras, ir parar em um show ou em um vernissage, cair no sono em um banquinho, sob o olhar meio carinhoso e meio culpado da mãe. Mas a criança também vai à escola, ao parque, faz aula de tênis, ginástica olímpica ou curso de inglês. Às vezes faz tudo isso. Esses momentos compartilhados, momentos de cumplicidade normalmente proibidos, tornam-se exceções regulares, deliciosas escapadas que bagunçarão um pouquinho a rotina da criança. Mas, verdade seja dita, no fundo isso não incomoda ninguém. No futuro, eles guardarão flashes de memória, pedaços de conversas ouvidos de relance, vestígios do mundo adulto que puderam brevemente conhecer, moldando uma imagem alegre do que o futuro lhes reserva. Esse amor à vida é, para a parisiense, a melhor forma de fazer com que as crianças queiram tornar-se adultas. E a melhor maneira para as mães nunca lamentarem as coisas que teriam perdido enquanto cuidavam dos filhos.

Como atender o telefone?
Quando ele finalmente liga

O telefone toca, ela atende.

A parisiense deixa o telefone tocar por muito tempo (ela não está plantada ao lado dele).
Ela finge estar surpresa (não esperava que ligasse).
Ela diz que vai ligar de volta em cinco minutos (está ocupada).
O problema é que ela não está sozinha (sim, você nunca deveria tê-la feito esperar).

A VIRTUDE DA PEÇA NOBRE

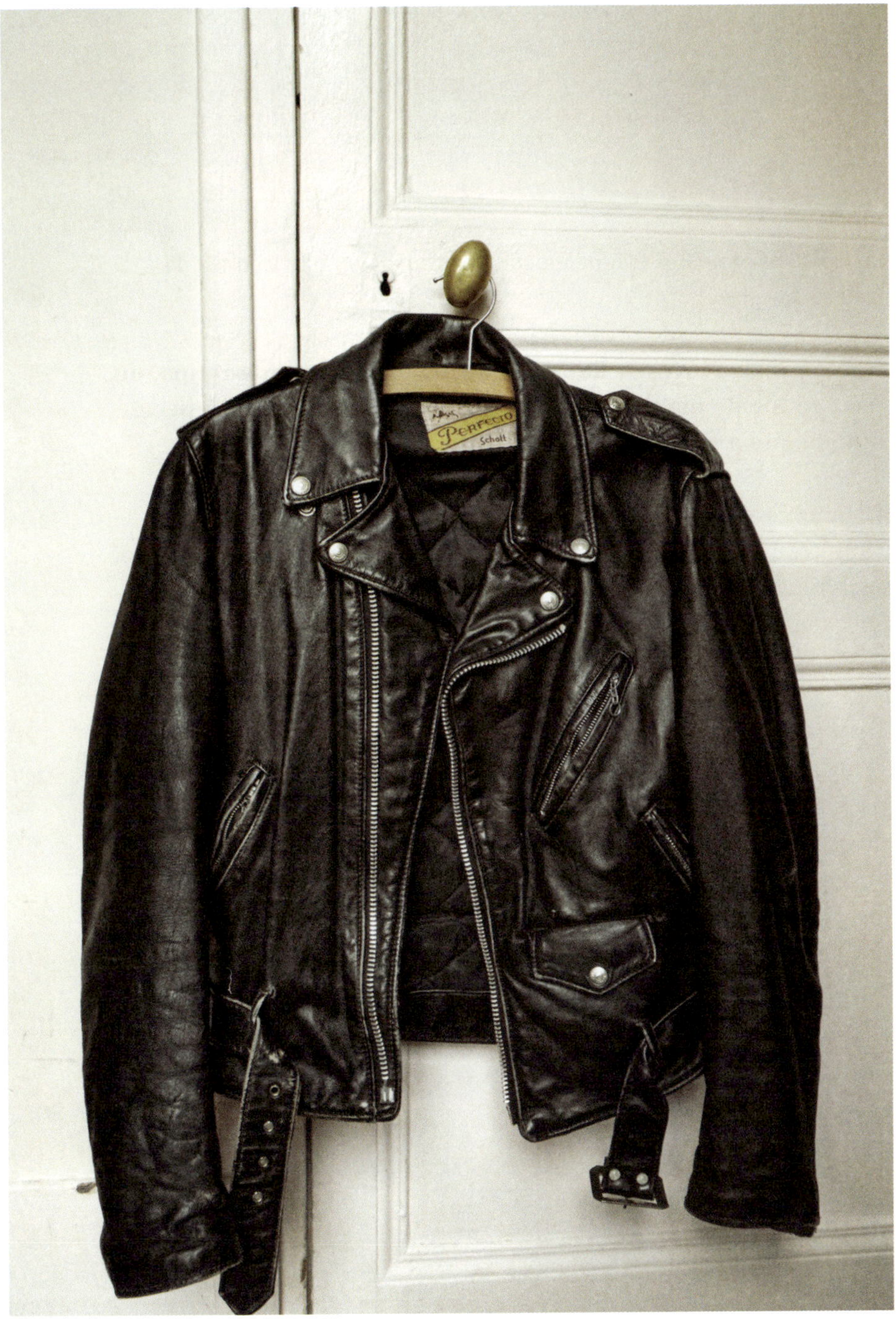
Perfecto
Schott

A "peça nobre" é aquele detalhe essencial que te valoriza da cabeça aos pés.

Não é preciso investir dez anos de salário no guarda-roupa, ou usar roupa de marca o ano todo. Não. Basta uma única peça: aquela que a gente usa quando precisa se sentir forte.

Nem todas as parisienses têm uma avó que abre o armário e diz: "Surpresa, querida, pode escolher o que quiser!" Longe disso. E então? A parisiense garimpa os brechós, as pontas de estoque ou o eBay. E lá, acha aquela peça que usará por toda a vida.

Algo como um trench coat lindíssimo, escarpins, ou uma bolsa de couro. Uma peça cara, bem conservada, mas sobretudo imponente. Combine com calças jeans, sapatilhas ou com uma jaqueta cargo. É essencial que o resto do look seja simples, para que não fique parecendo uma árvore de Natal.

A peça nobre é aquela que te veste maravilhosamente bem, com um caimento perfeito: ela torna cada um dos seus gestos amplos e ágeis. Graciosos. O material é impecável e o acabamento, perfeito — mas ela não é um manifesto.

A peça nobre não é "chamativa", ela é um segredo. Uma peça atemporal. Acima da moda. Que não seja exagerada, que não exiba a marca. Porque tudo que parece com letras do alfabeto (dois "C", ou um enorme "D", ou ainda os "YSL") é literatura reservada para os painéis dos oftalmologistas. Para a parisiense, o luxo também não deve exibir o seu nome.

É um presente que a mulher dá para si mesma, de acordo com a idade, o gosto e a conta bancária. É o símbolo da sua independência e da sua liberdade que sutilmente anuncia: "Sim, eu me dei isso de presente porque eu trabalho e isso me faz feliz."

Supérfluo absolutamente necessário, a peça nobre é uma atitude, uma arma a tiracolo, que faz com que a gente se sinta bem-vestida, invencível.

Ao natural

É um grande mistério, quase impossível de solucionar: o do natural. Porque, na verdade, nada é mais natural do que o natural. As parisienses a levarão a acreditar que elas nascem com a pele perfeita e com os cabelos lindamente despenteados. Que, desde o berço, o corpo delas exala um perfume que não perde em nada para o Chanel Nº5. Que esse "natural" é uma herança inexplicável.

Elas estão mentindo.

Esse natural é fruto de muito trabalho, de segredos meticulosamente transmitidos de geração em geração. Eis, portanto, uma série de conselhos estranhos que podem ser resumidos assim: como cuidar de si mesma de forma a levar a crer que você não cuida de si mesma. É a arte da beleza em sua versão parisiense.

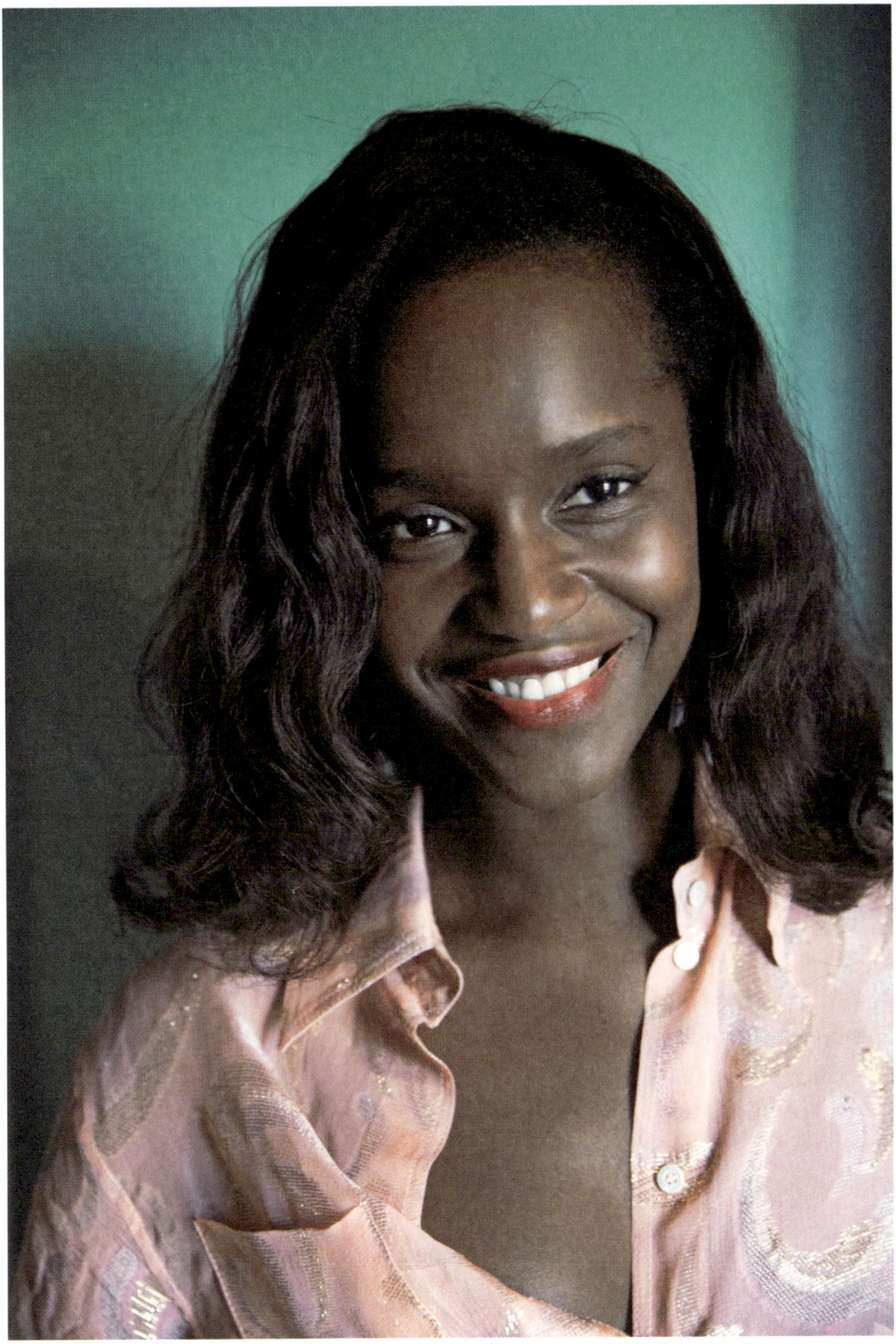

TUDO O QUE VOCÊ PRECISA SABER SOBRE CABELO

A cabeleira das parisienses é uma de suas marcas registradas. Ela pode ser identificada de diversas maneiras. O penteado nunca está "perfeito" e é muito pouco provável que ela faça uma escova. Ela cultiva, de acordo com a faixa etária, um tipo de caos capilar com diferentes níveis. Mas não se engane, é uma bagunça muito organizada.

Como? O cabelo não é pintado, ou, caso seja, é no tom natural, para reforçar a cor ou para esconder os fios brancos. É uma regra respeitada por todas, de forma geral: mantemos a cor que a mãe natureza escolheu para nós.

O cabelo não deve ser secado com secador (na verdade, você poderia jogar seu secador fora). Em vez disso usam-se recursos muito mais ecológicos: a brisa, no verão; e uma toalha, no inverno. Inclusive, lave o cabelo à noite, de preferência. Para não sair de casa com ele molhado.

Ir dormir com o cabelo ainda um pouco molhado fará com que ele acorde revoltoso pela manhã, o que não deixa de ser interessante. Não há necessidade, aliás, de lavá-lo todos os dias. Porque no dia seguinte da lavagem (ou até dois dias depois, dependendo da textura do cabelo) os fios ganham um peso que faz com que eles tenham um belo volume, quando presos em um coque.

Nenhuma necessidade de usar acessórios no cabelo: deve-se evitar presilhas e lenços, caso seja maior de idade. Esqueça joias para cabelo ou qualquer outro apetrecho chamativo.

À medida que os anos traçarem linhas em nosso rosto, os cabelos podem tornar-se mais ordenados, para manter o equilíbrio.

Enfim, bendizemos aquela época mágica do verão durante a qual nosso cabelo, banhado pela luz do sol e pela água do mar, torna-se simplesmente perfeito: um pouco áspero, um pouco mais claro, um pouco salgado.

E, claro, algumas gotas de perfume no cabelo, atrás das orelhas ou na nuca nunca fizeram mal a ninguém.

CIRURGIA PLÁSTICA

As parisienses não fazem cirurgia plástica, pois adoram pensar que é necessário saber aceitar o corpo que suas mães fabricaram com tanto cuidado e atenção. Não somente aceitar, mas também aprimorá-lo graças a um cansativo porém apaixonante trabalho de autoconhecimento. Bem, isso é o que elas querem que vocês — e os maridos delas — acreditem, mas é mentira.

Até pouco tempo, na França, a cirurgia plástica era considerada sintoma de dois problemas preocupantes: futilidade e depressão. O mundo evoluiu e, hoje, a maior parte das parisienses intervém no corpo ou no rosto. Mas, mesmo agora, elas o fazem de sua própria maneira, seguindo determinadas regras. O segredo é a moderação.

Como? Antes de mais nada, elas escolhem uma única coisa em que intervir, uma só operação. Aquela que realmente mais a incomoda. Pode ser o nariz, a boca, os seios ou a barriga...

Além disso, elas postergam o máximo possível o primeiro retoque nas rugas. É raro na França encontrar um rosto retocado com menos de 35 anos. Em geral, elas partem para a briga aos 40, quase sempre com ácido hialurônico ou botox (e a este, não se deve recorrer mais de uma vez ao ano, evitando o risco de ficar muito evidente). Tendo resistido pacientemente, graças a esses recursos preliminares, aos 50 é chegada a hora dos primeiros miniliftings, em locais estratégicos: nas pálpebras, nas bolsas sob os olhos, nas rugas do lado da boca. Depois, aos 60, pensa-se na possibilidade de fazer um lifting.

A cirurgia não é, como em alguns países, um sinal exterior de riqueza. Seu maior trunfo é ser imperceptível, e é por isso que não se comenta sobre isso em Paris. O principal é evitar qualquer intervenção que tire o movimento, que deixe a mulher parecendo uma estátua ou uma boneca.

A PELE

A pele deve parecer natural. As sardas podem aparecer na primavera, junto dos primeiros raios de sol. Às vezes, as maçãs do rosto ficam rosadas, quando conta-se uma mentira. Ou as duas bochechas ficam rosadas, quando se está tímida. Não se deve abafar todas as histórias contadas pela cor natural da nossa epiderme.

E, portanto, a pele deve ser mostrada, revelada, despida.

Como? As francesas evitam usar base, que tem o mesmo efeito de uma mortalha. Ela unifica; logo, banaliza.

Para substituir a base, há uma infinidade de artifícios. Invisíveis, porém eficazes: funcionam como um verniz. Da mesma forma que os pintores "preparam" seus quadros antes de aplicar as tintas (essas preparações eram segredos tão bem guardados que muitas vezes morriam junto com eles), a pele do rosto deve ser tratada como uma tela.

Em vez da base, passe um creme hidratante, que os maquiadores profissionais utilizam como ponto de partida para toda maquiagem. Depois, disfarce as imperfeições (olheiras, o lado do nariz, espinhas) com um corretivo, como o *Touche Éclat* da *Yves Saint Laurent*, ou com um *BB cream*. Se você realmente não consegue abrir mão da base, então desenvolva o hábito de misturá-la com um pouco de creme hidratante, para atenuar o efeito.

Caso vá sair, passe um batom vermelho vibrante (Dior Addict) e aplique generosamente rímel tanto nos cílios de cima quanto nos de baixo (Hypnôse, da Lancôme). Isso realça o olhar e, ao mesmo tempo, disfarça as olheiras.

CUIDE DAS EXTREMIDADES

Ainda que a parisiense possa às vezes parecer desleixada, ela jamais negligencia os fundamentos universais da feminilidade: as mãos e os pés. O que isso significa? As unhas devem estar limpas, cortadas e, às vezes, pintadas — mas não sempre. Simplicidade em primeiro lugar. Aliás, a expressão "francesinha" é um enigma. Ela representa exatamente o contrário do chique francês. A parisiense não entende o porquê desse estilo de manicure e nunca o usaria. Ela é uma confissão do tempo dedicado à sofisticação.

Apesar de todos esses cuidados, a parisiense mantém pequenas imperfeições, das quais inclusive orgulha-se (uma pequena fenda entre os dentes, ou dentes um pouquinho acavalados, sobrancelhas proeminentes ou um nariz marcado). Eles são a marca de uma personalidade forte, e a autorizam a se achar bela, sem ser perfeita.

A PARISIENSE EM UM
BANCO DE PRAÇA

A parisiense tem sempre uma boa razão para estar sentada em um banco de praça.

Quando ela não quer chegar cedo a um encontro para o qual saiu de casa meia hora antes do que deveria.

Quando ela precisa mexer na bolsa para encontrar o celular e, depois, as chaves do carro, e o controle da garagem, e as chaves de casa. E quando, depois de tudo isso, fica com preguiça e não quer mais voltar para casa.

Quando ela vai embora para sempre, batendo a porta com determinação, mas na verdade não tem a menor ideia para onde ir.

Quando ela quer beijar um cara antes de decidir se o convida para subir para a casa dela ou se desvencilha para sempre de um beijo esquisito.

Quando ela correu cem metros atrás de um ônibus que não conseguiu pegar e ficou sem fôlego em consequência desse esforço físico inesperado.

Quando ela faz um telefonema que não quer que ninguém na casa dela ouça.

Quando ela quer ler um livro e quer ser vista lendo um livro.

Quando ela quer imaginar como é ser velha em Paris e contar a vida para os pombos por não ter companhia.

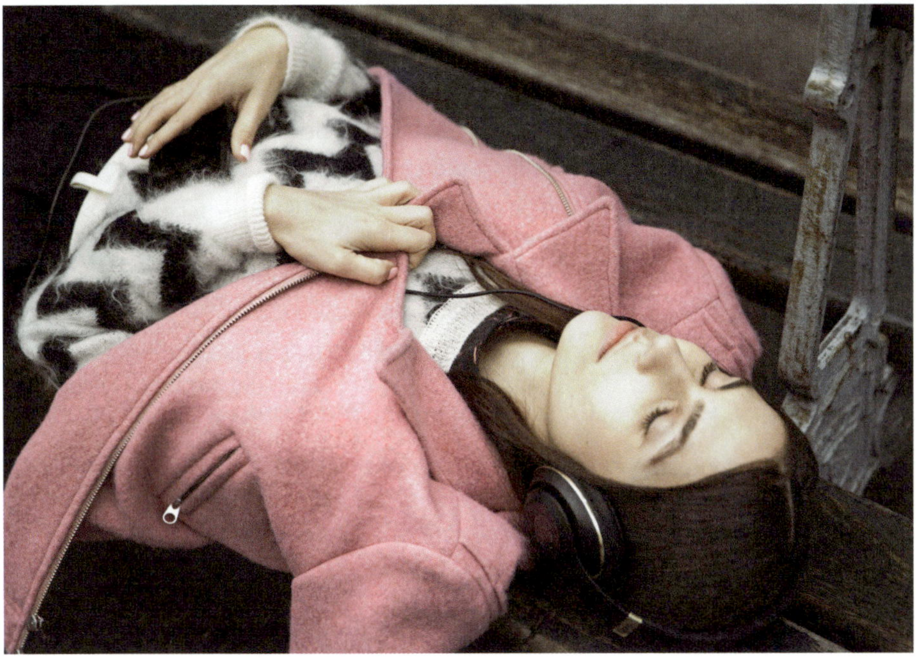

Quando o "mau gosto" é indiscutível

Cada tribo possui seus códigos. Seus ritos. Suas atitudes obscuras, difíceis de serem decifradas pelo resto do mundo. A parisiense é particularmente severa em relação a isso. Os sinais de "mau gosto", sejam na maneira de se vestir ou na de pensar, devem ser evitados a todo o custo, para que ela não se passe por uma *plouc* (ver "15 palavrinhas essenciais").

Em uma festa, perguntar a uma pessoa "o que ela faz da vida". ✻ **Ou pior, perguntar quanto ela ganha.** ✻ Ter uma foto de casamento na bancada da sala. ✻ **Combinar a bolsa com a roupa.** ✻ Clarear demais os dentes. ✻ **Tirar excessivamente as sobrancelhas.** ✻ Ser "amiguinha" dos próprios filhos. ✻ **Ostentar riqueza... ou ser pão-dura.** ✻ Fazer qualquer coisa com o pretexto de ter bebido demais. ✻ **Deixar a boca parecendo um bico de pato de tanta plástica.** ✻ Andar arrumada demais. Maquiada demais. ✻ **Fazer as coisas só para arrancar elogios.** ✻ Usar expressões da moda, vindas do jargão de empresas: brainstorming, networking... ✻ **Ter mais de duas cores no cabelo.** ✻ Levar-se a sério demais.

Kit de sobrevivência

Nunca se sabe

CENAS DA VIDA PARISIENSE — TAKE 1

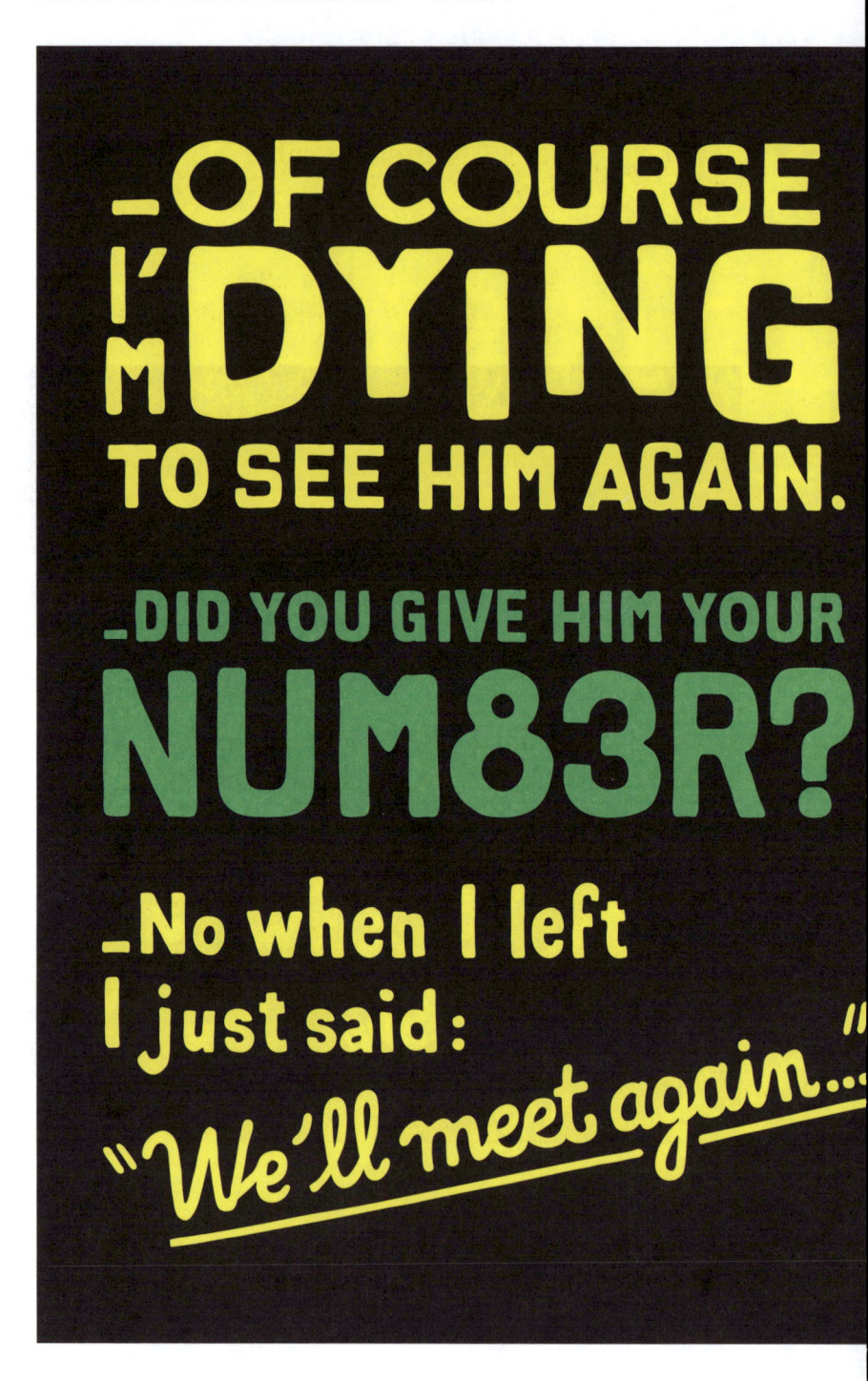

> — OF COURSE I'M DYING TO SEE HIM AGAIN.
>
> — DID YOU GIVE HIM YOUR NUM83R?
>
> — No when I left I just said: "We'll meet again..."

- Claro que eu tô louca pra encontrar ele de novo!
- Você deu seu telefone pra ele?
- Não. Quando fui embora, eu só disse: " A gente se vê."

_What?

_TRUST ME:
IF A MAN WANTS YOU
HE'LL FIND YOU

BUT YOU DIDN'T
GIVE HIM
YOUR
NAME!

- Como assim?
- Olha, quando um homem quer você, ele acha você.
- Mas você nem disse pra ele o seu nome!

2

RECONHEÇA SEUS MAUS HÁBITOS

OS PARADOXOS

* Ela dá bom-dia a todo mundo, **mas não quer conversar com ninguém.**

* Ela come pizza de quatro queijos, **e depois usa adoçante no café.**

* Ela compra sapatos muito caros **e nunca manda engraxar.**

* Ela é insuportável, **mas fica surpresa quando leva um pé na bunda.**

* Ela faz o pé toda semana, **mas usa um sutiã que não combina com a calcinha.**

* Ela fuma que nem uma chaminé quando viaja para fora da cidade **para respirar ar puro.**

* Ela bebe vodca de noite **e chá verde de manhã.**

* Ela não acredita em Deus, **mas reza para que seus problemas se resolvam quando eles se acumulam.**

* Ela é ecologicamente correta, **mas vai comprar pão de scooter.**

* Ela é feminista, **mas assiste a filmes pornôs.**

* Ela é capaz de mover montanhas, **mas precisa de apoio moral o tempo todo.**

* Ela conhece os próprios defeitos que atrapalham sua vida. **Mas nunca muda.**

Como fazer seu namorado achar... que você tem um amante

Opções:

* Encomende flores para si mesma e agradeça ao seu namorado pela gentileza.

* Grave o número da sua irmã no celular com o nome "Paul H".

* Tenha um ar misterioso. Olhe pela janela.

* Chore de vez em quando sem motivo aparente.

* Não atenda quando ele ligar. Mas envie várias mensagens de texto para ele.

* Tome vários banhos. Passe um bom tempo no banheiro.

* Compre lingerie ou volte a fumar.

Mas se, no final das contas, ele terminar com você, não reclame. Você procurou por isso.

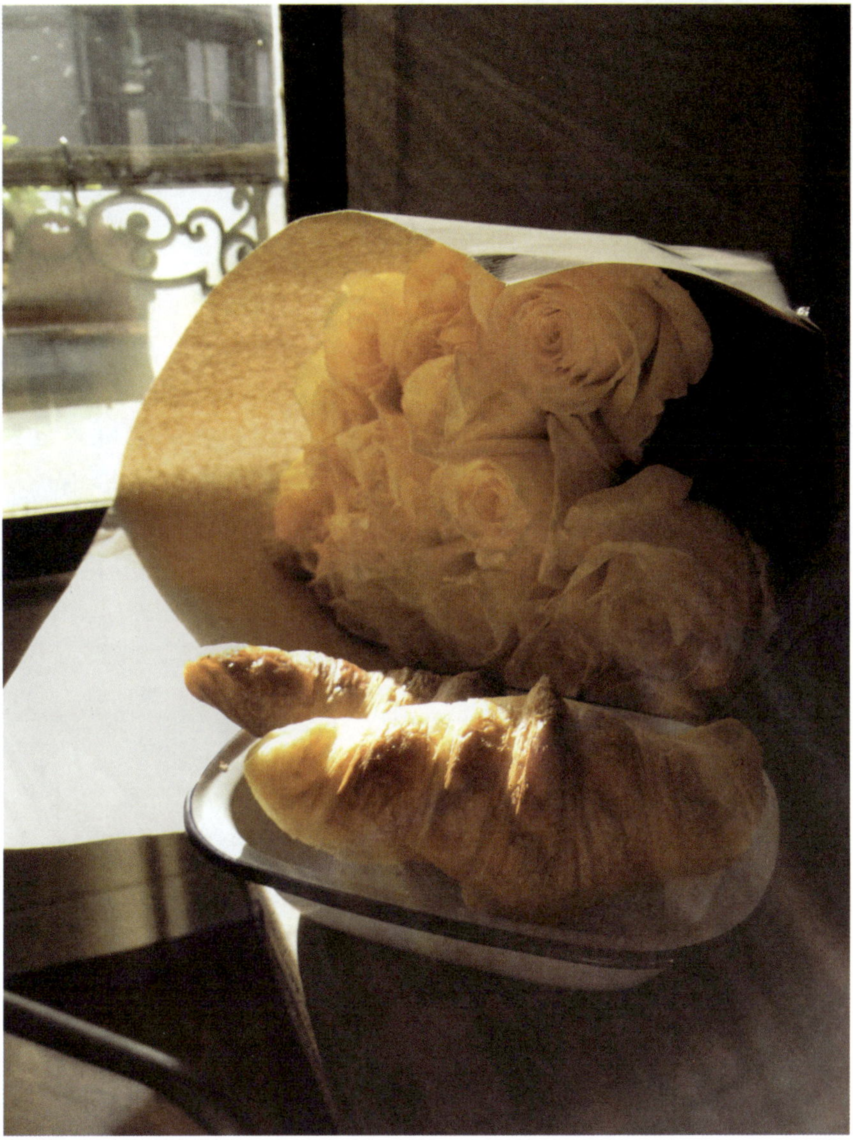

A PARISIENSE AO VOLANTE

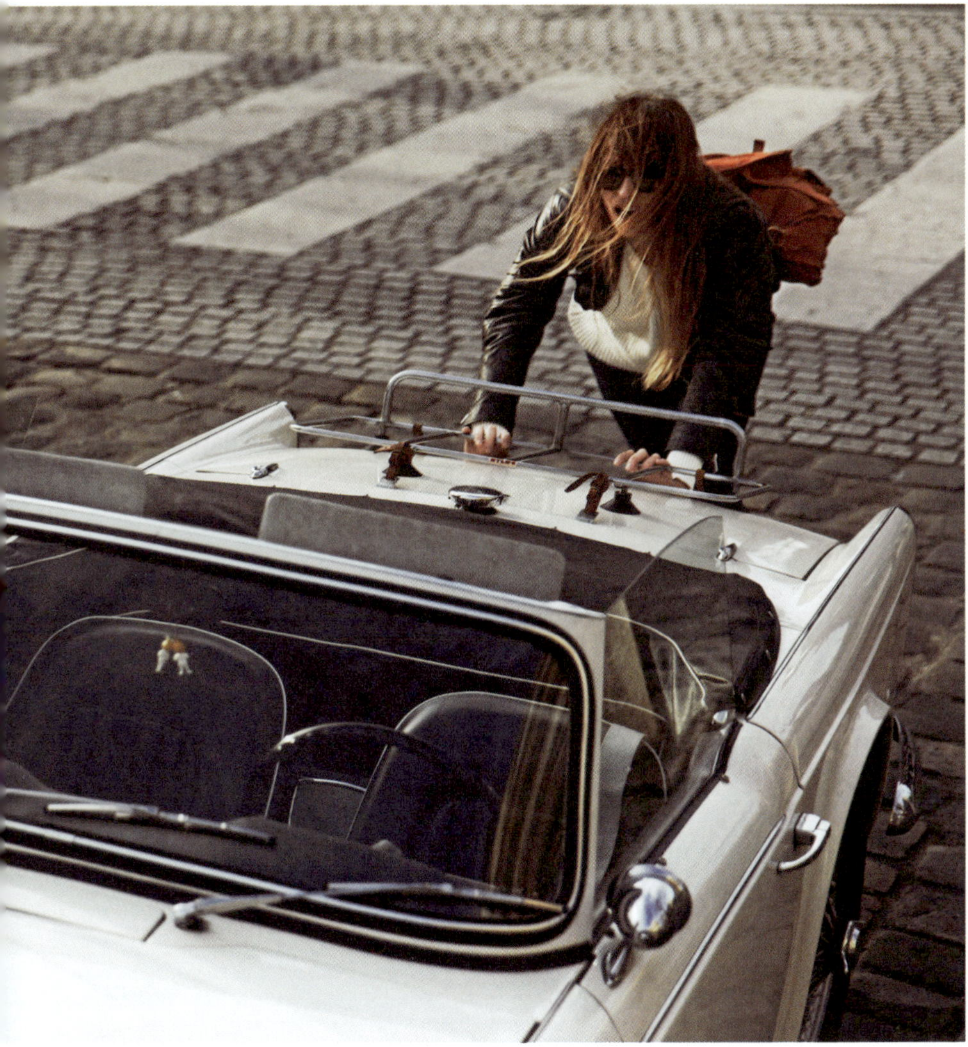

Q uando dirige, a única regra que a parisiense respeita não faz parte do código de trânsito. Para ela, o importante é que vença o melhor.

Ela pode dar uma fechada em um cara só para restabelecer a igualdade entre os sexos e mostrar que ela também sabe falar grosso.

Sentada ao volante, ela é fluente na linguagem de sinais, e frequentemente ergue o dedo do meio para manifestar seu descontentamento.

Ela não suporta perder tempo procurando vaga e larga o carro em qualquer lugar, como se pudesse contar com um manobrista imaginário para vir buscá-lo. Ainda assim, sente-se perseguida pelo Estado, que insiste em cobrar o que deve em multas de trânsito.

Quando é parada em uma blitz, começa a chorar. Antes mesmo de mostrar os documentos.

Quase sempre o policial a libera, apesar das irregularidades. Ele é o único tipo de homem que ainda se comove com lágrimas, aparentemente.

Às vezes, ela é parada por uma policial. E aí as lágrimas são inúteis. Então ela grita. E perde pontos na carteira. Ela remói seu azar de ter sido parada por uma mulher, mas não sente remorso por ter transitado na faixa exclusiva para ônibus.

Ela adora encontrar pequenos atalhos para evitar engarrafamentos. Isso quase sempre a atrasa ainda mais, mas mesmo assim faz com que ela sinta que domina a cidade.

Os ciclistas a irritam. Eles fazem com que ela se sinta duplamente culpada: por estar poluindo a cidade e por não fazer exercício.

Ela já transou em um carro muito, muito pequeno. Ela sabe que, no calor do momento, o joelho fica cheio de manchas roxas por causa do freio de mão. Mas isso não seria motivo para não repetir a dose.

Quando está atrasada, ela se maquia enquanto dirige. O retrovisor não deixa de ser um espelho, afinal.

De repente, ela tem vontade de cantar aos berros canções antigas e cafonas que ela só ouve escondida, no carro, e em nenhum outro lugar.

O painel é uma extensão da sua bolsa — uma notória zona que abriga de tudo um pouco: livro policial, nota fiscal velha, caixa de chicletes, carregador de celular, uma rosa murcha que ganhou uns dias antes. Todos juntos compõem um diário ou uma obra surrealista a quem interessar.

Ela adora dirigir no limite da reserva do tanque como se estivesse brincando de roleta-russa: conseguirá ou não chegar ao próximo posto até que o combustível acabe?

A ARTE DO BEIJO

A parisiense, quando faz amor ou em qualquer outra situação, tem uma forte tendência a agir como se estivesse em um filme. Quando beija um homem, ela o faz de preferência bem no meio da rua. Dá um show, encena sua história de amor, e transforma aquele momento em um acontecimento único. Ela quer marcar a memória não só do homem colado em seus lábios, mas também a dos transeuntes.
Ela se entrega à encenação como qualquer boa atriz e quase espera ouvir aplausos quando finalmente se desvencilha do beijo.
Sem fôlego. É claro.

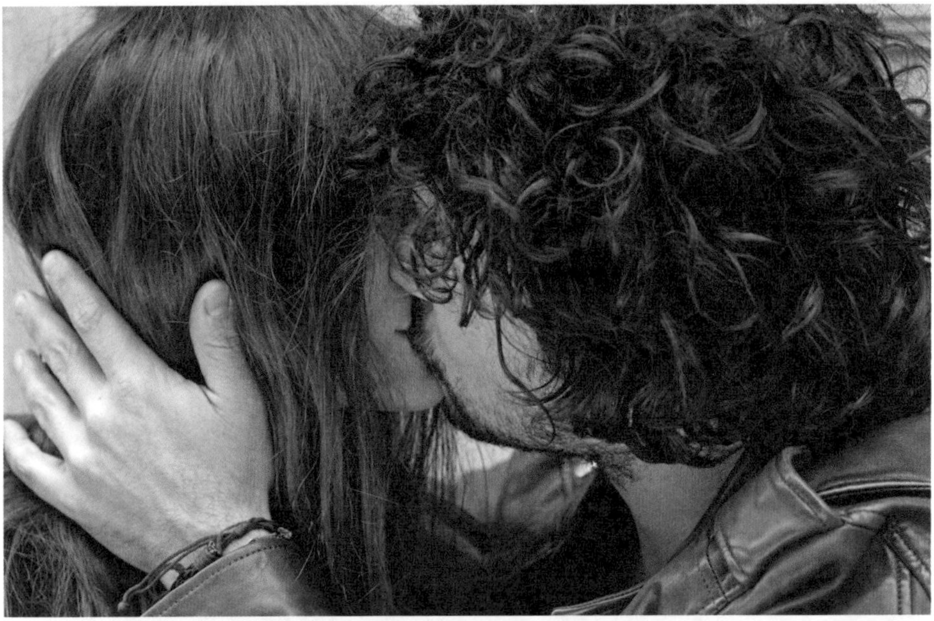
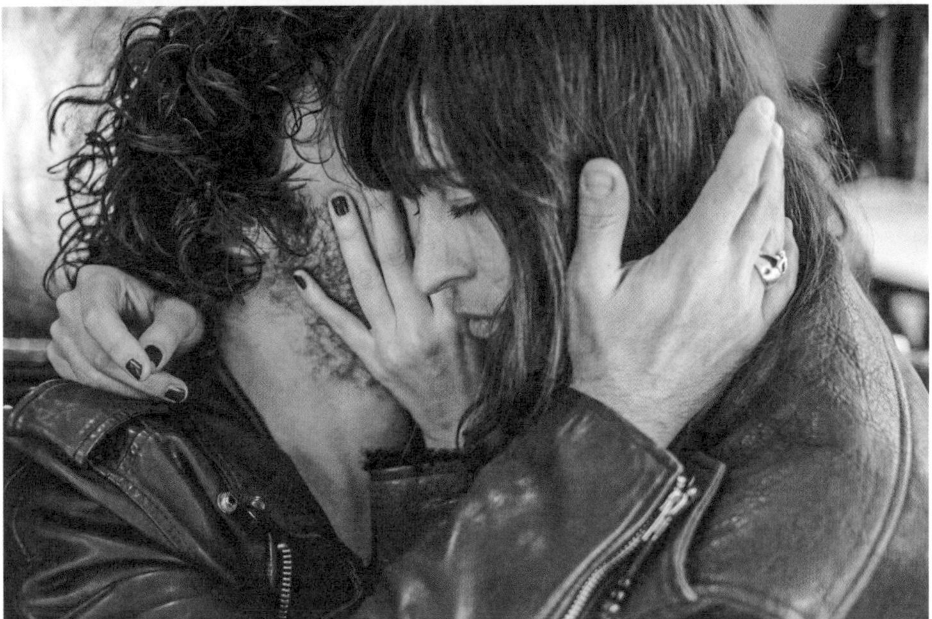

Como receber para um jantar

Assim como Coco Chanel, não tolere uma mesa com mais de seis convidados. Em Paris, frequentemente, para que um jantar seja bem-sucedido, é necessário abrir um champanhe como aperitivo e servir com gelo, em taças. Comece, se possível, com uma discussão acalorada sobre política. Por exemplo:

— Na verdade, estamos testemunhando uma mudança fundamental na antiga "luta de classes". Já não é mais "o proletariado contra a burguesia". Agora, a questão são os imigrantes. E, no final das contas, acabam os pobres lutando contra os pobres.

— O capitalismo conseguiu o que queria: deu um jeito para que os trabalhadores não lutem mais contra os que estão acima deles, e sim contra os que estão abaixo. Marx estava certo.

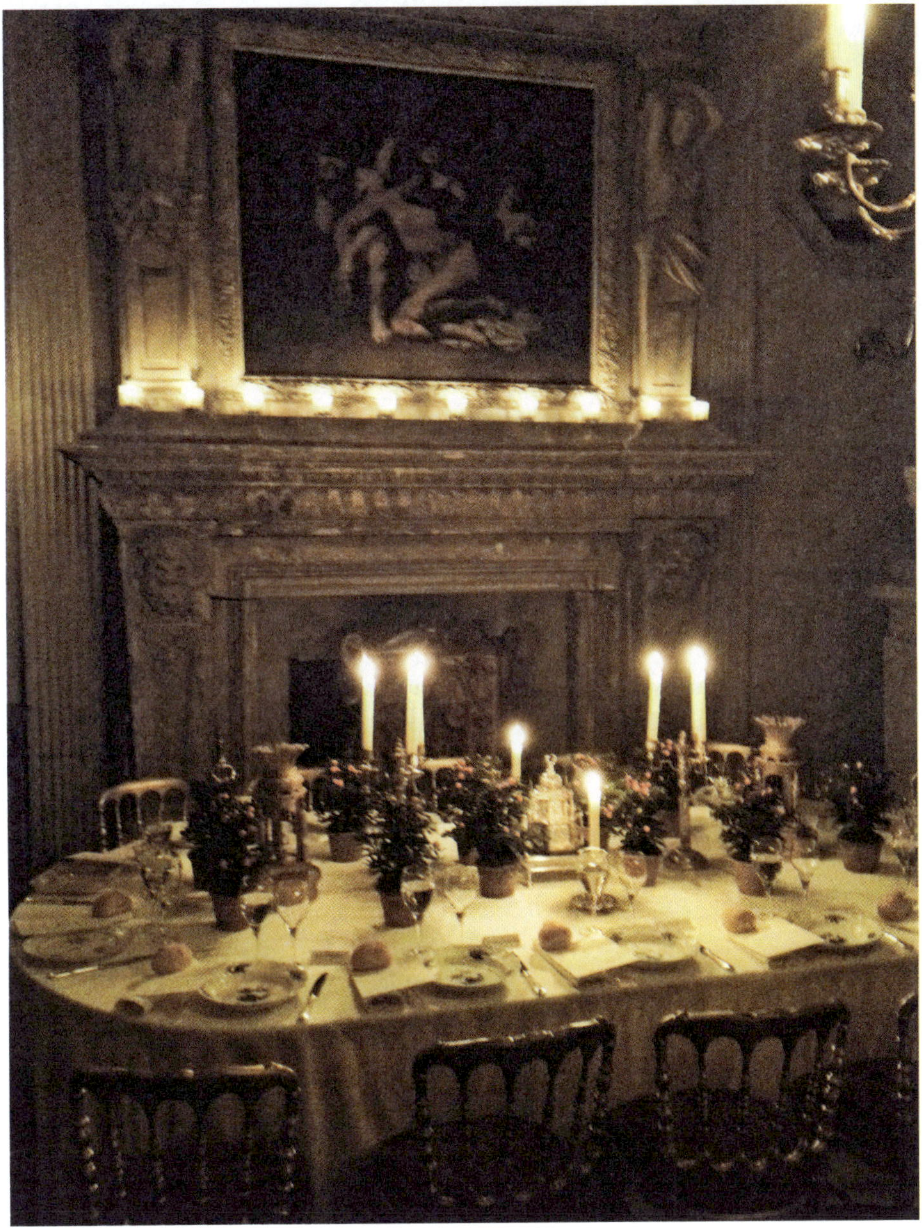

— Deixa de falar besteira. Você está filosofando usando conceitos que nem entende direito.

— Então me diz qual a diferença entre a esquerda e a direita.

— É muito simples! Para a direita, se o indivíduo está bem, a sociedade está bem. Enquanto que, para a esquerda, se a sociedade está bem, o indivíduo está bem.

Quando os convidados pararem de gritar uns com os outros, e a conversa beirar o tédio, a anfitriã sugere que todos se sentem à mesa (impedindo que comecem a falar sobre os filhos).

No menu, não há entrada. Partem direto ao prato principal. Sim — ela tem mais o que fazer da vida.

O importante não é saber cozinhar de tudo, e sim dominar perfeitamente duas receitas. Uma muito fácil, que você possa fazer em alguma situação inesperada. E outra muito difícil, para impressionar os amigos.

As porções devem ser generosas. A mesa deve estar bonita, bem-arrumada — com algumas flores. E a cozinheira não deve parecer consumida pela situação. Tudo tem que parecer "fácil".

FRANGO COM LIMÃO

INGREDIENTES
1 belo frango, pronto para assar
2 limões
1 vidro de limões em conserva (*citrons confits*)
1 cebola (opcional)
2 colheres de sopa de shoyu adocicado
Canela (algumas pitadas, a gosto)

Preparação: 15 minutos
Cozimento: 2 horas
Para 4/5 pessoas

- Preaquecer o forno a 175°C.
- Coloque o frango em uma panela de ferro.
- Raspe a casca do limão (se eles não forem orgânicos, lave-os muito bem antes).
- Depois, esprema um limão e use-o para regar o frango.
- Coloque toda a água dos limões em conserva na panela. Em seguida, acrescente os limões em conserva cortados ao meio e as raspas de limão.
- Descasque o outro limão fresco. Coloque-o dentro do frango.
- Esfregue canela em pó na pele do frango, o que o deixará corado, como se estivesse grelhado (sem que tenha que utilizar óleo para isso).
- Acrescente uma cebola cortada em tiras finas (opcional).
- Deixe assar por 2 horas no forno.
- Depois da 1ª hora, vire o frango para que ele asse também do lado de baixo.
- Desvire-o quando estiver há 1h45 no forno e regue-o com o shoyu adocicado.
- Não acrescente sal, pois a água dos limões em conserva já é muito salgada.

Enquanto os convidados degustam o seu frango, trate de mudar o assunto da conversa para o segundo tema preferido nos jantares parisienses. Sexo.

— Eu, por exemplo, percebi que adoro ser chamada de "cachorra" na cama. Mas se o meu namorado me chamar de "puta", acho que vou ficar irritada.

— Ah, "puta" não tem problema, dependendo do contexto. Por exemplo, "putinha" é totalmente diferente de "puta", sem o diminutivo. "Putinha" eu gosto, é fofo.

A parisiense conhece também uma receita de família, transmitida de geração em geração, que leva muito tempo para fazer. O preparo começa dias antes de ficar pronto (as compras devem ser feitas com dois dias de antecedência, e deve ser preparado na véspera). O mais importante é sempre dizer "não é nada de mais, fiz em cinco minutos", e nunca passar a receita nem contar como conseguiu todos os ingredientes raros.

POT-AU-FEU (COZIDO DE CARNE COM LEGUMES)

Deve-se fazer na véspera para retirar a gordura.

INGREDIENTES
Sal marinho
1 pedaço de carne de boi (paleta, por exemplo; não usar costela)
1 pedaço de carne de vitela (canela, por exemplo)
1 ossobuco por pessoa
1 bela cenoura por pessoa, descascada e cortada ao meio
1 cebola (com um cravo-da-índia espetado, caso queira)
1 dente de alho com pele
1 talo de aipo grande, cortado em quatro
1 bouquet garni com salsa, louro e tomilho (amarre os três com um barbante e prenda a ponta solta no cabo da panela)

Alguns grãos de pimenta, inteiros.
4 alhos-porós cortados ao meio (caso sejam pequenos) ou cortados em quatro (caso grandes)
1 nabo por pessoa
1 repolho cortado em quatro
Pepinos em conserva para acompanhar

Para 6 pessoas

- Encha de água fria uma panela muito grande. Salgue.
- Coloque a carne dentro. Acrescente a cenoura, a cebola, o alho, o aipo, o bouquet garni, a pimenta e também, caso queira, alguns pedaços das folhas do alho-poró.
- Tampe e deixe cozinhar em forno baixo por aproximadamente 3 horas.
- Retire a espuma e a gordura com uma colher, de vez em quando.
- Deixe esfriar e, depois, guarde na geladeira até o dia seguinte.
- No dia seguinte, retire a camada de gordura que se formou. Reaqueça a panela em fogo baixo. Por cima, coloque um suporte para cozimento a vapor com as cenouras e os nabos.
- Deixe cozinhar por 15 minutos.
- Depois, junte o repolho e o alho-poró e deixe de 10 a 15 minutos. Cuidado para não passar do ponto — os legumes não devem ficar moles.
- Passe os pedaços de ossobuco no sal e enrole cada um separadamente em papel-alumínio.
- Encha uma panela com água, tempere com sal e pimenta, e deixe esquentar. Quando estiver fervendo, junte os ossobucos e deixe no fogo baixo por 10 minutos.
- Retire o bouquet garni e o alho. Sirva a carne em uma travessa, os legumes em outra. Sirva o caldo separadamente.
- Não se esqueça de servir os pepinos em conserva.

Depois do sexo, um tema surge naturalmente, com a chegada da sobremesa: o adultério. É um tema universal, sobre o qual todos terão algo a dizer, uma experiência a compartilhar. Você vai poder ficar tranquila, ninguém se entediará.

— Prefiro mil vezes que meu marido tenha um caso de uma noite do que um amor platônico por alguém que ele conheça.

— Eu concordo: não se termina um relacionamento porque alguém pulou a cerca, e sim porque acabou a paixão. Até porque, se você for pensar, ter fantasias já é traição.

— Eu tenho fantasias todos os dias. Quando eu transo, às vezes penso no meu professor de informática, no meu aluno de doutorado, penso no vizinho... É assim que funciona a nossa imaginação, não tem nada a ver com a realidade.

— Mas não é disso que eu estou falando! Tipo: imagina que tem um cara específico que você conhece, em quem você pensa a cada vez que transa com seu marido... Entende a diferença?!

Há tantas receitas de bolo de chocolate quanto parisienses em Paris. Com mais ou menos açúcar, fofinho ou com textura de brownie, com pouca ou muita manteiga. Não importa. Todos vão aprovar uma boa sobremesa de chocolate como acompanhamento para uma conversa sobre infidelidade.

CHOCOLATE FONDANT

INGREDIENTES
120g de manteiga
200g chocolate amargo
4 ovos
100g de açúcar
80g de farinha

Preparação: 15 minutos
Cozimento: 30 minutos + 10 minutos para esfriar
Para 6 pessoas

- Preaqueça o forno a 180°C.

- Derreta a manteiga e o chocolate em banho-maria. Ou seja: coloque uma tigela com os ingredientes dentro de uma panela com água, leve ao fogo. Ou coloque a tigela com os ingredientes dentro de uma tigela maior com água e use o micro-ondas.

- Bata os ovos com açúcar na batedeira. Depois, junte a farinha.

- Acrescente o chocolate misturado com a manteiga.

- Asse por 30 minutos, depois deixe esfriar por 10 minutos antes de servir.

- Teste se o bolo está pronto com um palito ou um garfo. Se sair limpo, pode tirar do forno.

Os jantares parisienses quase sempre terminam mais tarde do que uma noitada. Debates inflamados, declarações chocantes, viradas teatrais... vale tudo para driblar o tédio.

Mas o melhor da noite ainda está por vir. Quando os convidados vão embora, não é para ir dormir, e sim para conversar sobre o jantar. Eles não esperam nem chegar em casa, nem o almoço no dia seguinte... A fofoca começa no elevador.

— Eles parecem muito melhor, a Françoise e o Jean-Paul.

— Sim, desde que ele começou a transar com o melhor amigo, a harmonia voltou.

— O quê? Ele está traindo ela com um homem?

— Querido, o contrário é que seria surpreendente.

— A Françoise sabe receber tão bem...

— Será que a gente não devia nem comentar que o Saint-Emilion estava fechado e assim ficou?

— Ela não estava fazendo miséria com o vinho, é porque não se serve *pot-au-feu* com Bordeaux, não harmoniza. Enfim, que ficou fechado, ficou.

— A Marie não bebeu nada, será que ela está grávida?

— Ha, ha, ha! Com aquela idade?

— Eu achei a barriga dela grande.

— Querida, você conhece aquele mal terrível de que todo mundo padece mais cedo ou mais tarde? A velhice?

— O Georges... ele é tão misterioso. Ele é escritor, né?

— Amiga, não se engane: ele fica calado pra manter a pose. "Uma pessoa pode fingir que é séria, mas ninguém pode fingir que é inteligente", Sacha Guitry.

— Deixe de ser má: é o irmão surdo-mudo da Catherine.

— Eu sempre achei que ela tivesse inventado essa história de irmão pra gente não implicar com o egoísmo dela de filha única!

Boa noite, gente... E bons sonhos. E não se esqueçam de beber um litro de água antes de ir dormir... o melhor remédio contra a ressaca.

FRIA OU REFRESCANTE?

Nunca use seus óculos, especialmente se for míope. Assim você vai ter certeza de que não vai cumprimentar as pessoas que conhece e que preferiria não encontrar. E isso lhe dá um ar distante e misterioso que seduz os homens e irrita as mulheres, que entendem perfeitamente o seu joguinho.

Chegue por último às festas para as quais foi convidada e confirmou presença. Beba aos poucos seu champanhe, mas não fique bêbada.

Mantenha o olhar distante, como se observasse o sol se pondo sobre o mar, no horizonte. Mesmo durante a hora do rush no metrô. Ou quando estiver comprando pizza no supermercado.

Termine as ligações dizendo "até mais", mesmo que não planeje ver seu interlocutor tão cedo.

Ao telefone, não perca tempo. Bom dia. Como vai? Sou eu. Pode falar agora? Etc... Passe direto ao essencial. Desligue assim que ouvir o que queria saber.

Fale bem baixo, para que as pessoas se vejam obrigadas a chegar mais perto para ouvir. Pareça preocupada. Faça citações.

Entregue-se de verdade, mas nunca por inteiro.

É claro que assim você corre o risco de terminar sozinha, presa em um lugar muito frio, quase capaz de contrabalancear o aquecimento global. Tudo isso por não ter prestado atenção no homem que passou, que poderia estar agora te abraçando, e por ter menosprezado aquela garota esquisita que poderia ter se tornado a sua melhor amiga por toda a vida.

Nesse caso, você pode sempre comprar uma passagem só de ida para Paris.

Esse biquinho parisiense

Paris tem essa coisa que os turistas adoram, e os moradores detestam: é um museu a céu aberto. Todas as ruas sustentam o peso da história. Cada pedra nos recorda de nosso duro legado. Os fantasmas dos nossos antepassados parisienses, almas errantes, nos encaram, com olhos soberbos, e clamam: "Será que você está à nossa altura?"

Entre aqueles que nos precederam estão as *Précieuses*, ou seja, as Preciosas. Durante o reinado de Luís XIII e Luís XIV, algumas mulheres da corte decidiram criar um movimento feminista, com o objetivo de lutar contra a violência misógina da época. Essas mulheres lutavam pela doçura, clamavam pelo pudor dos sentimentos e queriam que seus ouvidos fossem tratados como zonas erógenas — ou seja, que o sexo fosse precedido por uma conversa graciosa e criativa.

A escritora Madeleine de Scudéry foi a líder desse movimento. Ela traçou um mapa imaginário de um país chamado Tendre (Afetuoso). Para chegar às terras do Amour (Amor), seria necessário passar por várias pequenas cidades, que representavam as etapas para conquistar, passo a passo, o coração de uma pessoa.

Dessas primeiras feministas, as parisienses herdaram esse biquinho blasé, acompanhado de uma expressão um pouco fria e distante, que é a sua marca registrada. Essa é a herança que recebemos, assim como uma marca de nascença na coxa, ou uma velha cômoda passada de geração em geração.

Guardamos ainda hoje o "mapa do Tendre", mesmo que inconscientemente. As parisienses vão de um extremo ao outro, da indiferença à amizade, passando por todos os recantos, percorrendo passo a passo as etapas essenciais a todos os relacionamentos humanos. Algumas coisas levam tempo, mas são os processos lentos que criam os laços mais sólidos. Se por um lado a parisiense não faz amizades facilmente; por outro, uma vez estabelecido o vínculo, ele é para sempre.

Esnobismos parisienses

* No réveillon, jante sozinha um prato de frutos do mar e vá dormir antes da meia-noite (já que a "melhor festa do ano" já aconteceu: foi o pré-réveillon que você organizou no dia anterior na sua casa).

* Jamais deseje *bon apppétit* aos seus convidados (da mesma forma que nunca se deve passar o sal de mão em mão).

* Saia de uma festa no momento mais badalado (até das que você mesma organizou).

* Combine preto com azul-marinho (e rosa com vermelho, como Yves Saint Laurent).

* Quando conhecer alguém, não diga "prazer", mas "encantada" (nunca sabemos o que o futuro nos reserva).

* Diga *Em busca* (quando quiser falar do livro *Em busca do tempo perdido*, de Marcel Proust).

* Não abrevie as palavras nas suas mensagens de celular (além disso, os *emoticons* devem ser reservados para os amigos mais próximos).

* Recuse-se a estar na moda (já que é a moda que segue você).

* Nunca perca o controle (mas tenha um passado negro).

* Seja amiga de pessoas de diferentes gerações (mais novos, mais velhos, mas principalmente mais velhos).

* Assuma que é esnobe (fique ofendida caso pensem o contrário).

A PARISIENSE NO ESCRITÓRIO

Ela está espalhada pela cama. O despertador tocou já há alguns minutos. Não tem nenhum motivo específico que a faça desperdiçar esses preciosos minutos, ela simplesmente sente uma necessidade imperiosa de não se apressar. As pessoas vão acabar tendo que esperar por ela no trabalho, isso é certo. Ela pensa nisso durante o banho revigorante, e só então percebe que chegou tarde demais em casa ontem. Mas, assim que pisa na rua, ela é contagiada pelo ritmo da multidão. É tomada pela culpa, que a faz correr atrás do ônibus que acaba de sair do ponto sem ela. Durante todo o trajeto, ela se concentra para criar álibis verossímeis, riscando da lista os já utilizados nas semanas anteriores. À medida que o tempo passa, uma angústia palpável forma-se em seu ventre. De tal forma que quando ela finalmente chega, sem fôlego, na porta do trabalho, seus olhos estão transbordando de lágrimas sinceras. E ninguém ousa nem mesmo perguntar o que aconteceu que a deixou com essa expressão devastada tão cedo pela manhã. Cria-se, portanto, um ciclo vicioso. Os olhares de compaixão fazem com que ela sinta uma dor quase física na alma.

Sentada à mesa, ela trabalha sem estar de fato concentrada no que está fazendo. Passeando com os dedos no teclado, sua mente é invadida pela lembrança daquele cara que não voltou para casa com ela ontem à noite, aquele cara que ela nem chegou a beijar. Ela conclui que é possível que alguém se sinta órfã de uma fantasia, e abandonada por um completo desconhecido. Quando sua colega vem perguntar qualquer coisa sobre o trabalho, ela responde uma coisa errada, mas dá um jeito de emendar e não ser pega no tropeço. E quando outra colega, sentada na frente dela, comenta a gafe, ela se exalta, e surpreende a todos — a si mesma, inclusive — com um piti inesperado. Ninguém ousa abordá-la até o final do dia. De volta à terra, finalmente, em consequência do seu ataque histérico, ela se empenha com o afinco de uma mulher que quer provar para o mundo o valor que tem. Ela se concentra em uma negociação complexa e se recusa, por orgulho, a ceder. Quando ela sai da sala, com a cabeça erguida, tem a aparência orgulhosa de quem acaba de voltar de uma batalha... e pensa que deveria ir beber algo antes de voltar para casa. Afinal, ela merece.

FILHOS: O QUE ELA NUNCA CONFESSA

A parisiense nunca contrata uma babá bonita demais, tendendo sempre a achar a feia muito mais competente.

Ela sempre comenta, como quem não quer nada, que está preocupada (o que é mentira) porque a filha é "muito precoce". É o seu jeito de dizer que a filha é um gênio. É também o seu jeito de dizer que ela puxou à mãe.

Ela sempre usa doenças imaginárias dos filhos para escapar de jantares entediantes. Depois, sente-se culpada, com medo que algum Deus se vingue das suas mentiras fazendo seu bebê ficar de fato doente.

Ela troca fraldas sem torcer o nariz, mas nunca fala em público sobre diarreias ou gastroenterites. Mesmo no pediatra, ela hesita ao pronunciar essas palavras.

Ela não se sente obrigada a amamentar. Ela amamenta se quiser. E ai de quem tiver a audácia de opinar sobre o que ela deve ou não fazer com seus seios. Ainda mais se for um homem.

Ela deixa os filhos dormirem na sua cama, de vez em quando, principalmente porque isso é proibido por todos os livros sobre criação de filhos e ela adora ser do contra.

Ela ganha tempo para terminar a conversa que está tendo ao telefone com a melhor amiga dando balas para os filhos.

Entre os amigos dos filhos dela, tem uns que ela adora. E outros que ela acha uns malas. Ela não faz muito esforço para esconder o que pensa, considerando que mau exemplo é ser hipócrita.

Ela é capaz de passar horas inventando mundos imaginários com seus filhos, onde ela mesma adoraria morar para sempre, caso não tivesse que voltar às vezes a ser adulta e ganhar a vida.

GAFES

* Você escreve uma mensagem falando mal de uma menina e, sem querer, envia justamente para ela. Simplesmente porque estava pensando tanto nela, acabou selecionando o número errado.

* Pior: você se ouve pedindo desculpa para essa pessoa, que nem por um segundo acredita na história que você inventou, e que continua escutando apenas pelo prazer de prolongar o vexame.

* É aquele cara gato que você encontra na noite pela segunda vez, sorri quando se aproxima de você e diz: "Oi, Anne." Sendo que seu nome é Audrey.

* É a meia-calça que rasga exatamente no momento em que você senta para uma entrevista de trabalho. E esse furo ocupa um espaço tão grande nos seus pensamentos que se transforma em um furo na sua memória; ele cria, por sua vez, um furo na sua conta bancária por não ter, obviamente, conseguido o trabalho.

* É o porco assado que você preparou para receber um casal de amigos muçulmanos para jantar.

* É o alarme que te lembra de tomar a pílula no meio de uma reunião de trabalho, às 11h da manhã. Na melhor das hipóteses, vão pensar que é o despertador.

* É o dia seguinte, quando você acorda com alguém do seu lado e lembra que se esqueceu de tomar a pílula porque estava em reunião, ontem, às 11h da manhã.

* É quando seu pai envia sem querer para você uma mensagem erótica destinada à amante. O que faz você superar seu complexo de Édipo imediatamente.

* É champanhe. Vodca. Champanhe. Vodca. Champanhe. Até que chega a hora de tomar um café.

* É também a foto que se apagou da sua memória, mas que chega antes de você — graças ao Twitter — no seu escritório.

* E o que é mais constrangedor: foi você mesma que postou.

* São as 456 mensagens não lidas na caixa de entrada do seu e-mail de trabalho.

* É a mensagem de um headhunter que você recebeu há um ano, esquecida entre as outras, e desperdiçada para todo o sempre.

* É o gerente do seu banco, primeira pessoa a ligar no dia do seu aniversário.

* É o fiscal da receita, que liga em seguida, como se tivessem combinado.

* É uma espinha no bumbum no dia de um jantar romântico.

* Gafe. Todos esses pequenos momentos que fazem com que você nunca se leve a sério demais.

COMO DESESTABILIZAR OS HOMENS

Existe aquela que cancela o encontro 15 minutos antes, pedindo mil desculpas e não dando nenhuma justificativa.

Aquela que nunca descreve em mais de cinco palavras a festa onde estava. "Foi ótima, muito divertida." E vai direto para a cama.

Aquela que enche a boca para falar de política, mas usa mais os olhos do que as palavras para falar de sexo.

Aquela que dá uma resposta nua e crua: "péssima", quando você pergunta: "Como vai?"

Aquela que esquece *de verdade* de pôr sutiã quando o verão volta.

Aquela que torna uma reunião de trabalho interessante discretamente pousando a mão sobre a coxa dele.

Aquela que, em caso de desentendimento, acerta as contas na cama, em vez de ter uma longa DR.

Aquela que segura no braço de um desconhecido quando desce as escadas de salto alto.

Aquela que dá um jeito de pagar a conta antes que ele tenha a chance de pedi-la ao garçom.

Aquela que, em momentos triviais, exclama: "Esse é o dia mais feliz da minha vida!"

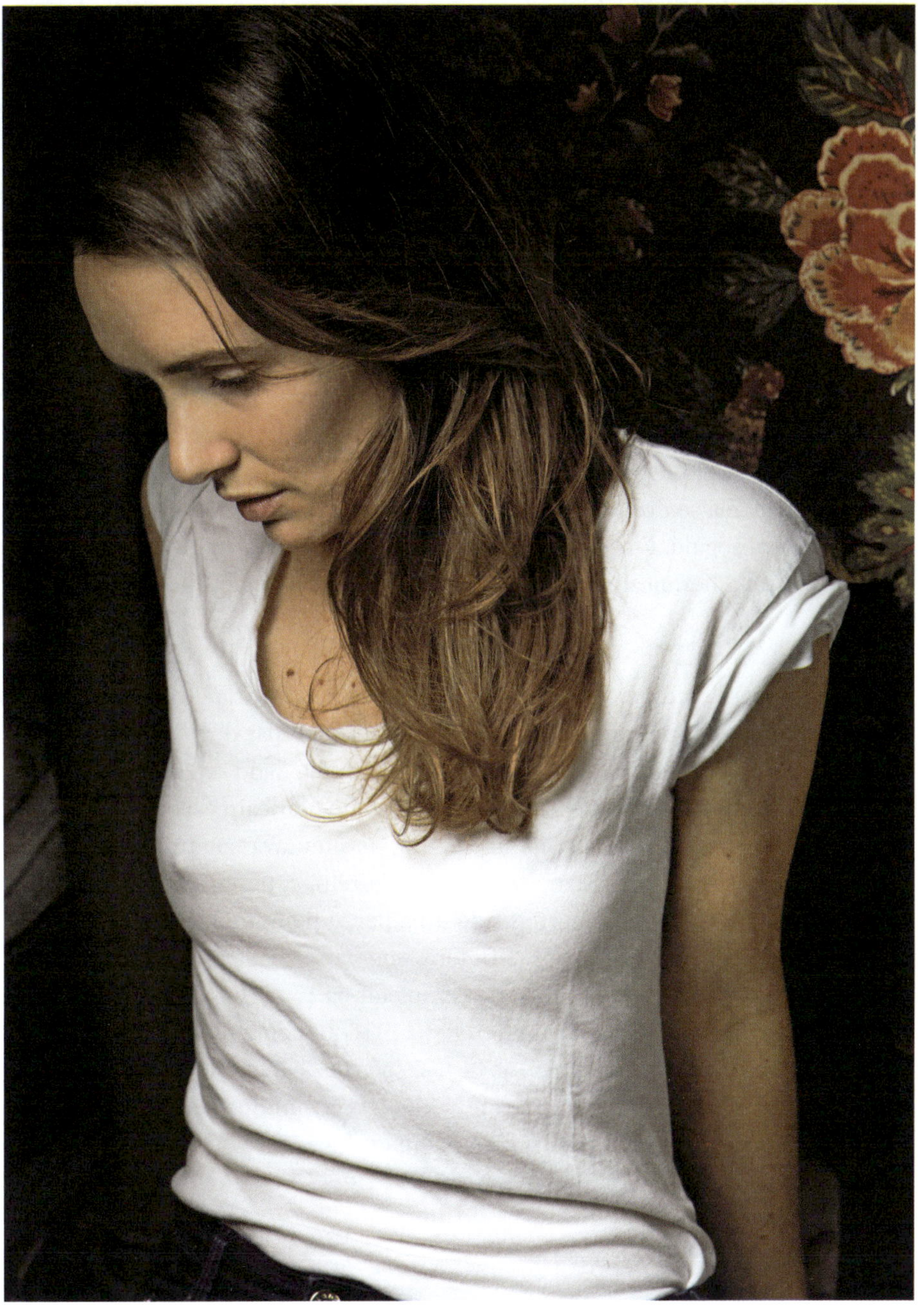

O DILEMA DA ACADEMIA

Esta história começa com um debate interno. O que vamos chamar de "debate das 18h". O dia de trabalho está acabando e o dilema toma forma. Será que ela deve mesmo se *obrigar* a ir à academia? Em um debate interno prévio, ela havia decidido começar a malhar. Tinha passado um tempo na casa da mãe. Mãe essa que havia sido tão linda. Uma década de sedentarismo bastou para arruinar o que a natureza lhe havia ofertado. E vendo-a, de costas, preparar um café, com o quadril largo e o bumbum mais perto do chão, ela se dizia que Deus, por ter inventado a menopausa, era certamente misógino. E assim, nesse dia, tomou uma importante decisão. Lutaria contra a herança genética e as leis da gravidade, matriculando-se na academia.

Foi com um passo inquieto, titubeante, que ela entrou na sala de ginástica vestida de forma magistralmente inadequada. Com um par de *All Star* antigo e uma calça de moletom nunca antes usada. Ela tinha dado seu nome, registrando-o para sempre na lista de mulheres que praticam esporte. Uma vez naquele lugar, ela se sentia menos segura, mas tentava não transparecer. Ela se recusou a pedir ajuda para programar a esteira e, portanto, começou a correr em um ritmo esquisito, jogando uma perna na frente da outra de forma bizarra, com os pés virados para fora, como uma bailarina. Mas o orgulho a impediu de desistir antes de completar os 15 minutos que havia programado. Sua respiração ofegante refletia perfeitamente os 30 anos de vida que haviam se passado, com todas as festas, cigarros, bebidas e noites viradas. Apesar das câimbras, ela segurou firme. Vinte e três minutos depois, ela saiu de cabeça erguida, jurando para si mesma que voltaria no dia seguinte. Um mês se passou. Desde então, todos os dias, às 18h, o debate vem à tona. Ela pensa nos quadris da mãe e no preço da mensalidade da academia. Mas não toma nenhuma atitude. Às 18h, ela é dominada pelo cansaço. Sente o apelo perigoso da mesa de um bar. E justo nesse momento, os amigos ligam, como que para testar sua força de vontade. Força de vontade essa que já não ia bem, ela admite, então que se dane. Ela escreve um bilhete mental: "Amanhã, vou à academia." E amaldiçoa mais uma vez sua mãe por não cuidar mais de si mesma, evitando que ela sentisse essas angústias assassinas. Angústias que, entretanto, são rapidamente esquecidas. Às 19h, pedindo uma taça de vinho tinto, a ideia de praticar esportes é algo distante.

CENAS DA VIDA PARISIENSE — TAKE 2

-BUT YOU TOLD HIM NEVER TO CALL YOU AGAIN!

- Mas você disse para ele nunca mais te ligar!

_ I JUST CAN'T BELIEVE HE ACTUALLY LISTENED.

- Não acredito que ele levou a sério.

3
CUIDE DA APARÊNCIA

Look
24h

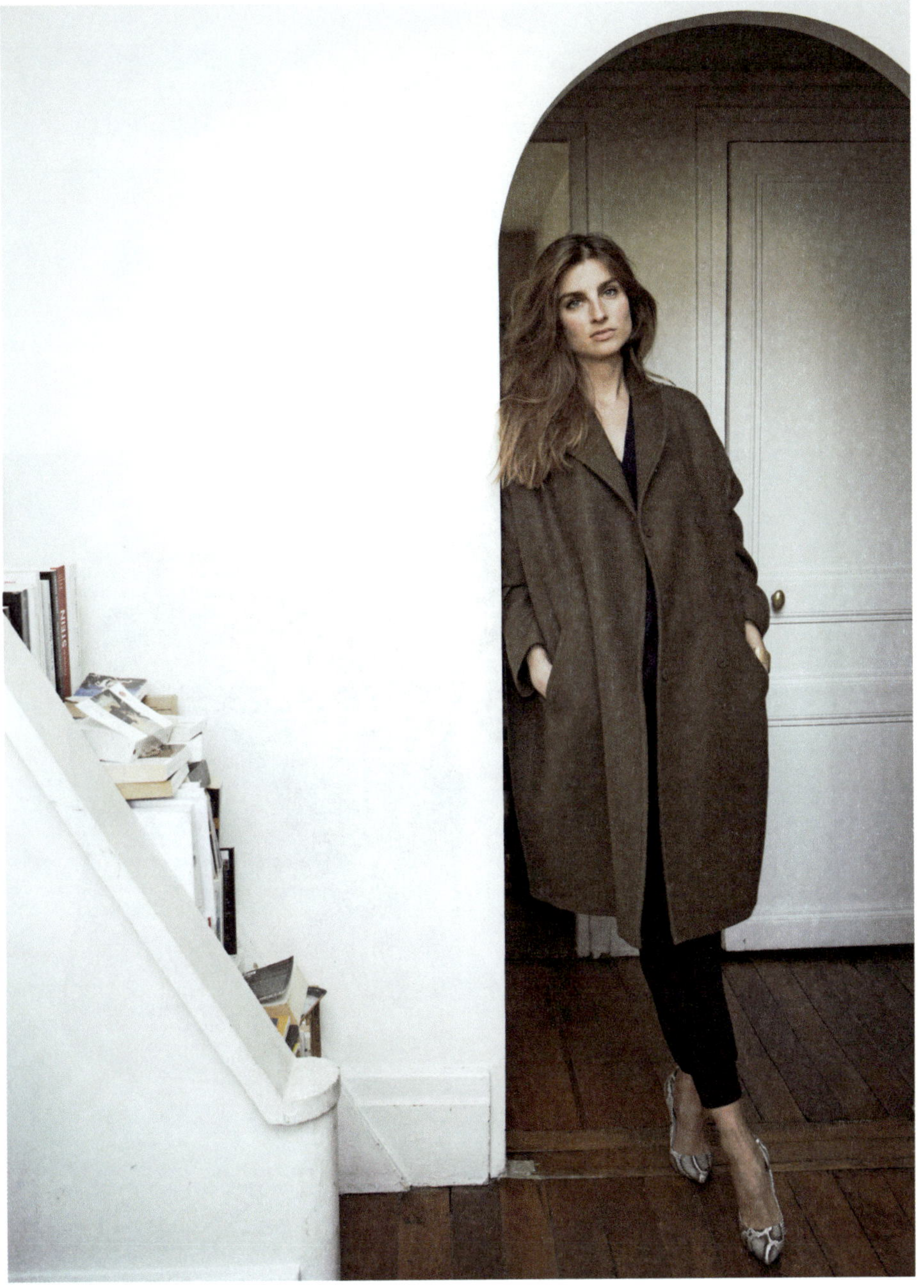

O
ESSENCIAL

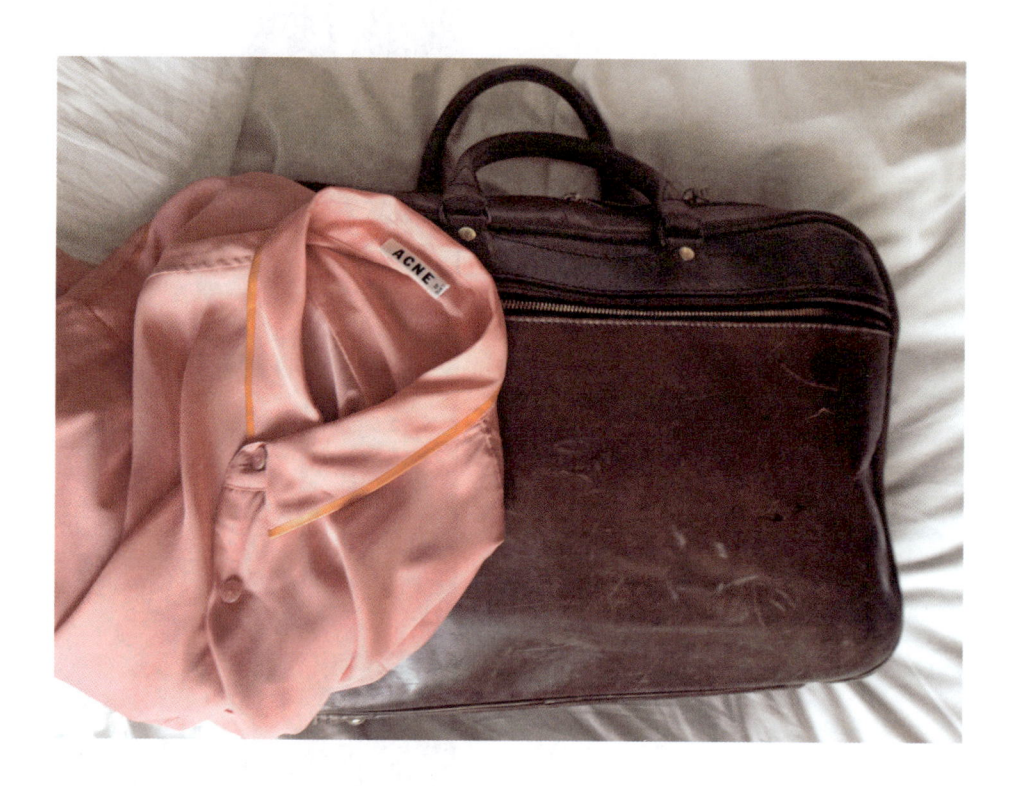

A calça jeans. Sempre, em qualquer lugar, com qualquer coisa. Tire-a de seu armário e a parisiense se sentirá nua.

O sapato masculino. Simplesmente porque sempre te disseram que esse sapato chique e sem salto não era feito para as meninas e porque você tem o espírito rebelde. Essa, aliás, é a essência do seu estilo.

A bolsa. Não é um acessório, é sua casa, uma zona completa onde você acha tanto um trevo-de-quatro-folhas seco quanto uma conta de luz velha. E se ela é linda do lado de fora, é só para manter as aparências. E que ninguém ouse investigar o que tem dentro dela.

O blazer preto. Aquele que dá um estilo elegante a um jeans meio sujo (o que você usa o tempo todo), aquele que você veste nos dias em que não quer fazer nenhum esforço para se vestir bem, sem que o desleixo seja evidente.

As sapatilhas. Devem ser o equivalente ao par de chinelos que você nunca compraria. Você não negocia entre conforto e elegância. Para você, é os dois ou nada. Audrey Hepburn nunca foi vista com um par de sandálias papete.

O lencinho de seda. Ele tem mais do que uma função. Primeiro, confere um toque de cor a uma roupa escura, sem o risco de dar um passo fora da cadência na melodia da moda. Além disso, caso chova, você pode usá-lo para cobrir a cabeça, como Romy Schneider. E, às vezes, ele também serve para assoar o nariz da sua filha quando acabam os lenços de papel.

A blusa branca: ela é emblemática e atemporal.

O trench coat. Sim, ele não te protege tanto do frio quanto a *doudoune*, aquele casaco acolchoado à la boneco Michelin. Mas quando vestimos uma *doudoune* temos a impressão de acrescentar voluntariamente pneuzinhos em volta da nossa cintura.

O cachecol enorme. Justamente porque você não tem uma *doudoune*. E graças a toda essa sua mise-en-scène, você acaba ficando com frio.

O casaco comprido por cima dos ombros. Você usa na manhã depois da festa, como se estivesse enrolada em um edredom. Ele é macio como um ursinho de pelúcia, aconchegante como um ansiolítico, amplo como um biombo. Para os dias em que estamos de mal com nosso quadril.

Os óculos escuros básicos e enormes. Todos os dias, mesmo quando está chovendo, pois sempre há um bom motivo para usá-los: muita luminosidade, ressaca, choradeira, vontade de criar um ar de mistério.

A blusa larga. Você sempre abre um botão a mais e a deixa um pouco solta para que não fique com um ar sério demais. Em geral, você pegou emprestada do seu namorado, não devolverá nunca mais, e a usará mesmo quando, um dia, estiver nos braços de outro homem. Porque o amor passa, enquanto algumas modas persistem.

A camisetinha simples que custa caro. A contradição guia sua vida como a liberdade guia o povo. Você aceita ceder aos modismos mais populares, mas sem abrir totalmente mão do toque de luxo. Por isso você passa horas procurando a camiseta ideal cuja malha fina e um pouco transparente criará o efeito de uma caxemira.

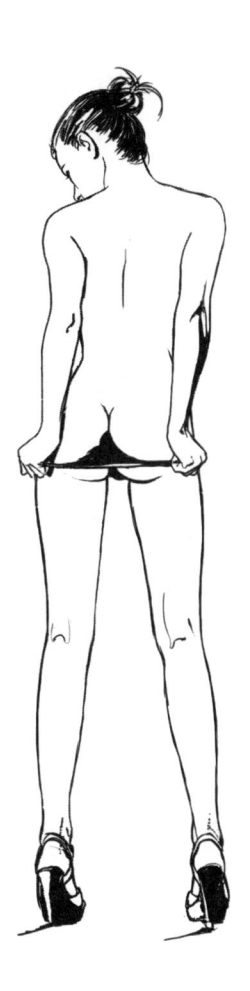

TRÊS CENTÍMETROS, E NEM UM A MAIS

Zsa Zsa Gabor dizia: "A única profundidade que o homem busca na mulher é a do decote."

Ela talvez estivesse certa, mas um decote profundo demais acaba com a curiosidade. Ele revela tudo muito rápido. Ele serve a sobremesa quando ninguém chegou a provar as entradas. Ele atropela o desejo. Revela uma falta de confiança. Ele não sabe que pode agradar sem se expor tanto. É como as meninas que falam tanto que ninguém ousa fazer uma pergunta.

A parisiense não revela quase nada. Ela segue um mandamento simples a esse respeito: três centímetros.

Uma saia que sobe até o início da coxa quando ela se senta no café. Uma camiseta com gola larga que deixa escapar o ombro quando ela acena para o garçom. Uma insinuação sutil dos seios quando ela abaixa para pegar a bolsa.

Três centímetros, e nem um a mais. Uma amostra.

E essa amostra é o combustível que incendeia a imaginação. Que deixa o homem com vontade de ver mais, interessado por sua história, querendo quebrar o silêncio, arrancar sua blusa. A parisiense lida elegantemente com esse mistério, não tem pressa para que alguém desvende o enigma de seu corpo nu. E muitos são os que se jogariam aos seus pés, ainda que somente para tirar seus escarpins. Três centímetros, nada mais.

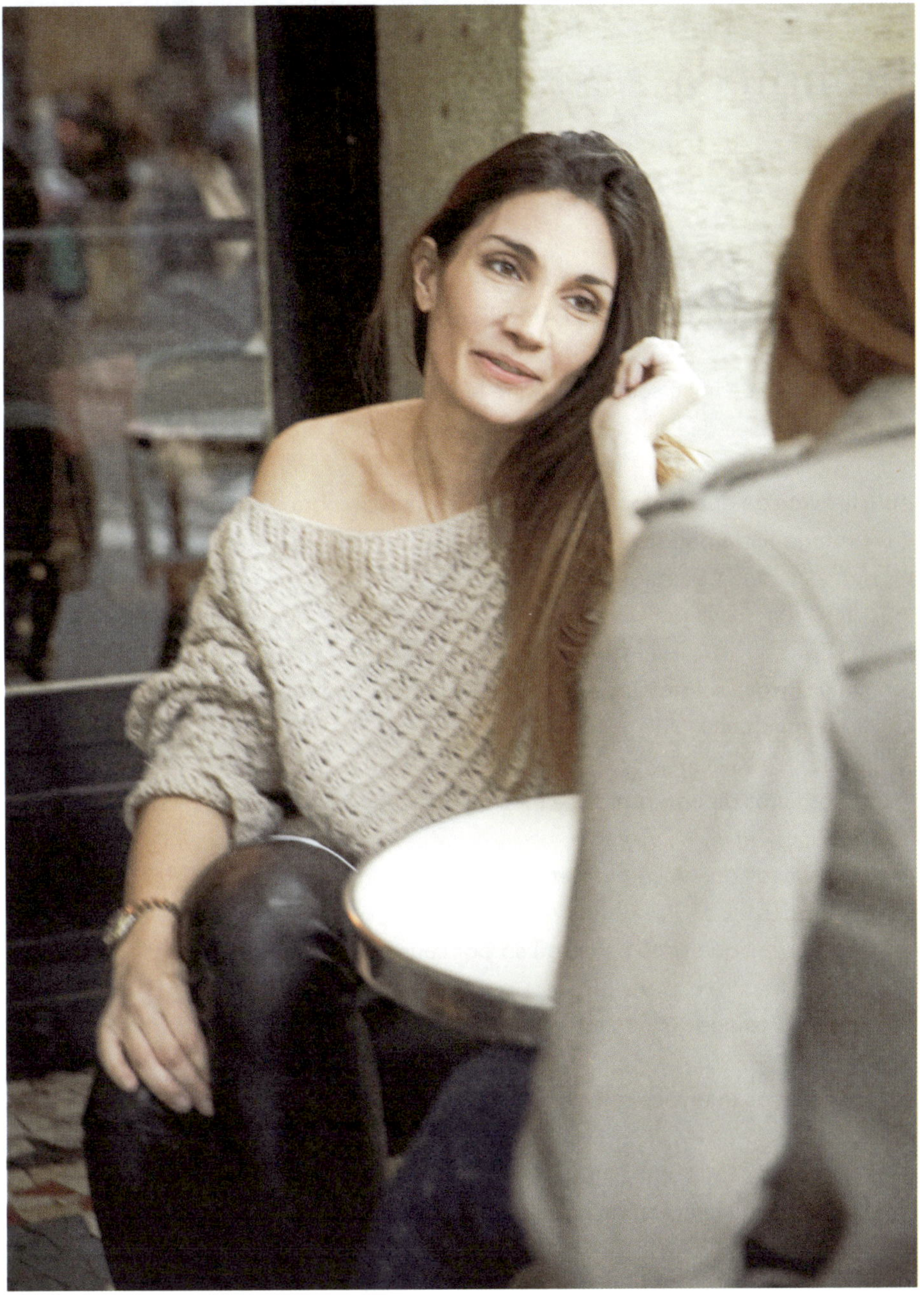

A biblioteca

HÁ MUITOS LIVROS NA ESTANTE DE UMA PARISIENSE.

* Há livros que você sempre diz que leu a ponto de você mesma acreditar nisso.

* Há livros da época do colégio, dos quais não lembra nada além do nome dos protagonistas.

* Há os romances policiais que seu namorado leu, e que você renega.

* Há os livros de arte que seus pais lhe dão todos os anos de Natal para que fique mais culta.

* Há os livros de arte que você mesma comprou e que de fato gosta.

* Há os livros que você promete que vai ler nas próximas férias... há dez anos.

* Há os livros que você comprou só por causa do título.

* Há os livros que você mantém na estante para causar um efeito.

* Há os livros que você relê sempre e cujo sentido muda à medida que sua vida muda.

* Há livros que lembram alguém que você amou.

* Há livros que você guarda para seus filhos, caso tenha filhos um dia.

* Há livros você já leu cem vezes — mas só as dez primeiras páginas —, a ponto de saber de cor palavra por palavra.

* Há vários livros que você simplesmente tem que ter em casa e, quando reunidos, são a prova concreta de que é uma mulher que lê.

E HÁ LIVROS QUE VOCÊ LEU, AMOU E QUE FAZEM PARTE DA SUA HISTÓRIA:

O Estrangeiro, Albert Camus

Partículas elementares, Michel Houellebecq

Bela do senhor, Albert Cohen

Bom dia, tristeza, Françoise Sagan

Madame Bovary, Gustave Flaubert

A espuma dos dias, Boris Vian

Lolita, Vladimir Nabokov

Viagem ao fim da noite, Louis-Ferdinand Céline

As flores do mal, Charles Baudelaire

No caminho de Swann, Marcel Proust

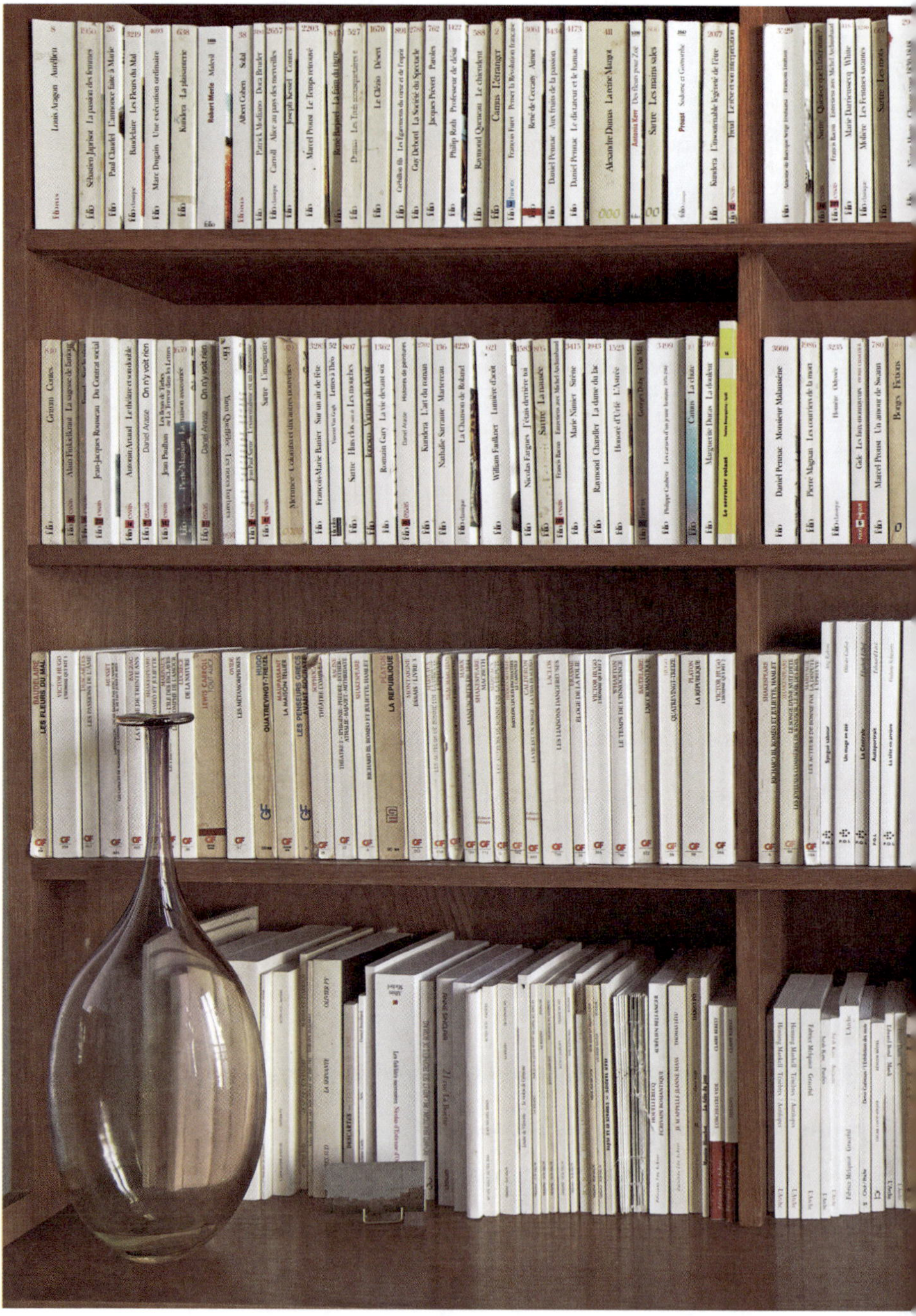

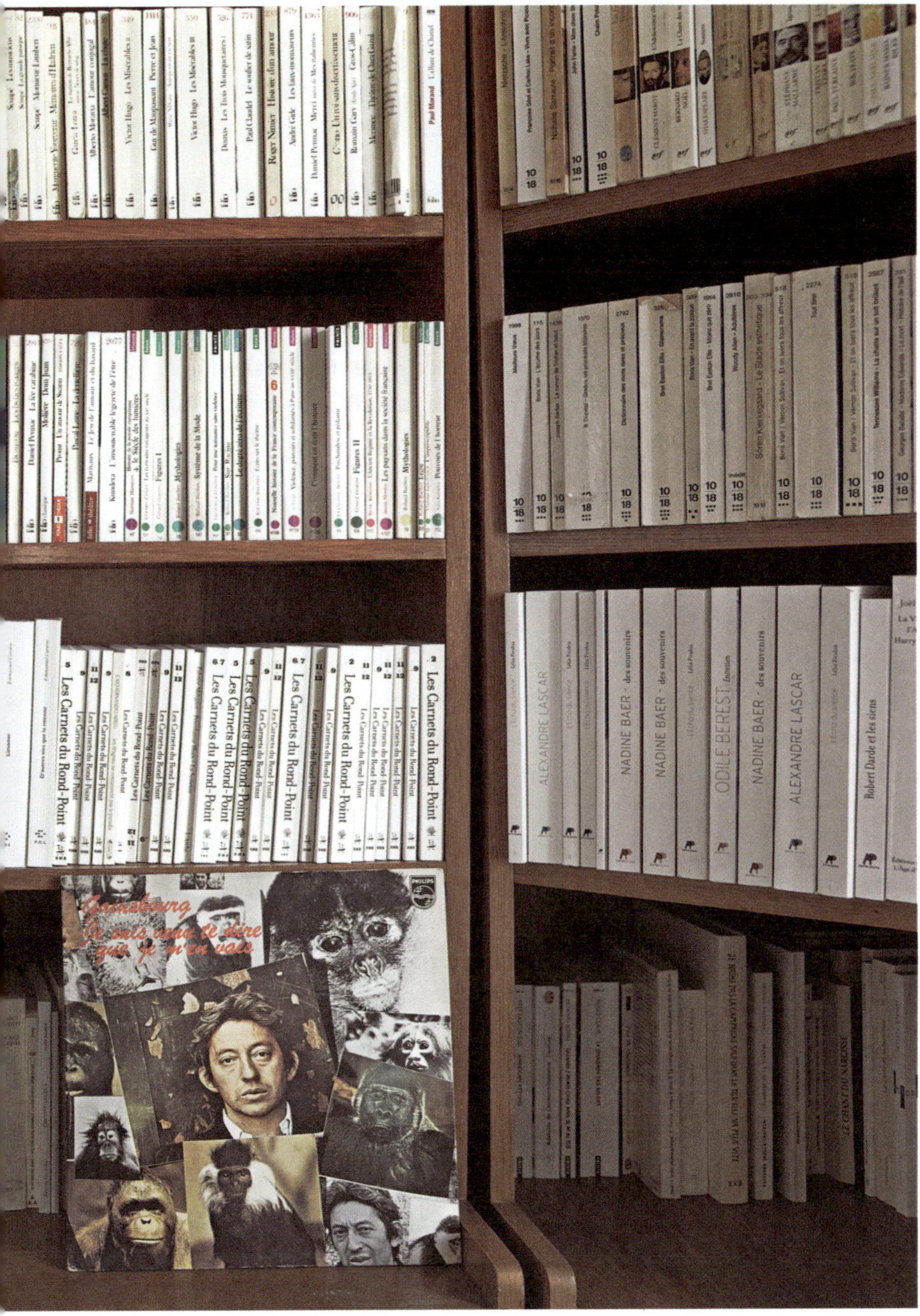

A MINISSAIA

V ocê pode combinar sua minissaia com uma camiseta branca, com uma blusa estampada, mas nunca, nunca deve usá-la com nada decotado ou vulgar. Sandália sem salto e maquiagem invisível. A minissaia, para ser digna do nome, deve ter um corte perfeito. Seja em jeans, algodão ou couro: ela é reta, extremamente simples.

Porque na França ela não representa uma vontade de seduzir. Não. Ela é um símbolo de liberdade. A minissaia surgiu em Paris muito antes da moda do *swinging London* ou pelo menos é nisso que as parisienses gostam de acreditar. A primeira foi encomendada a Jean Patou, um costureiro parisiense, no início dos anos 1920. A francesa Suzanne Lenglen, campeã de tênis, pediu a ele que desenhasse um modelo de saia para os Jogos Olímpicos de Inverno. Com a "moda Lenglen", surgiu um novo gênero, a mulher forte, mas que não se masculiniza.

Dessa forma, a minissaia criou um jogo de vaivém, entre o que é mostrado e o que é oculto. É uma fenda no tempo: o momento entre o vestir-se e o despir-se. Nem nua, nem vestida. E sim em um estado intermediário.

"As pernas das mulheres são compassos que vagueiam pelo globo terrestre, em todas as direções, dando-lhe o seu equilíbrio e a sua harmonia."

Do filme da Nouvelle Vague *O homem que amava as mulheres*, de François Truffaut (1977)

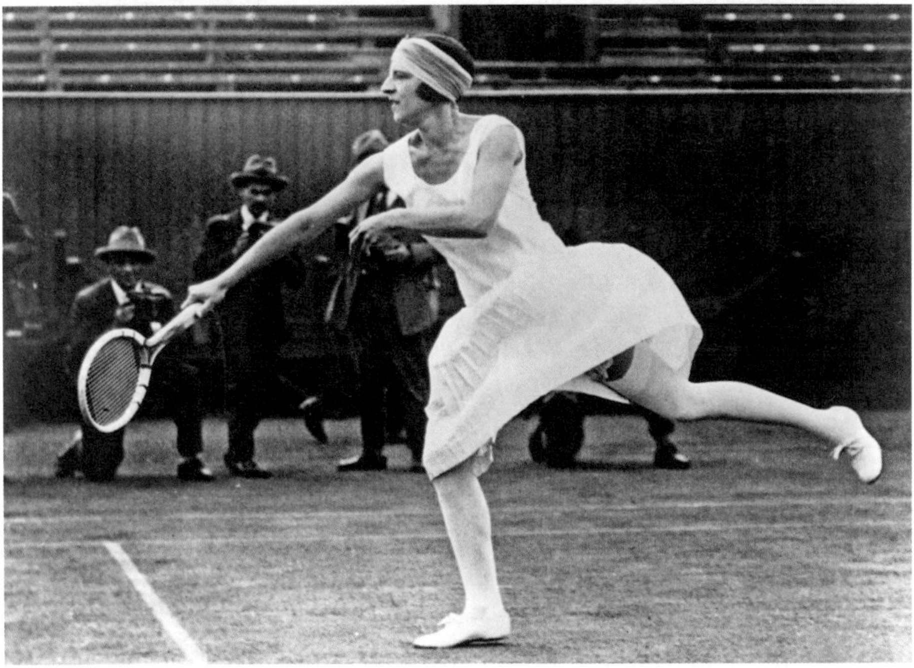

SALVAR A PELE

Você lembra quando era adolescente e ouvia aquelas músicas românticas que evocavam a pele do ser amado? Mas, na época, sem querer, você entendeu errado, e essa confusão demorou muito para ser esclarecida. É verdade: o que você não faria para salvar sua pele? De todos os preciosos tecidos que você tanto ama, a pele é sem dúvida o que mais te fascina. O que mais cuida e mais estima. Esse couro do qual é capaz de ler todas as linhas, como as de um pergaminho. A sua relação com a sua pele é fruto de uma boa educação.

A beleza na França é epidérmica. A maquiagem, pouco importa. O que conta é o que está acontecendo por debaixo dela. Sua mãe, aliás, deu-lhe de presente um espelho de maquiagem, daqueles que ampliam e acusam todos os detalhes, evidências do efeito do tempo em seu rosto. Ela não repetiu exaustivamente que você não deveria fumar, que não deveria beber demais. Ela simplesmente a convidou a constatar os efeitos de tudo isso em sua imagem refletida. Na pele, a memória de suas festas fica impressa. Sob seus olhos, ao lado dos lábios. Ela desta forma ensinou-lhe a não pecar pelo excesso.

Porque em Paris as regras são claras: prevemos o futuro, nos preparamos para quando ele chegar, mas nunca o corrigimos completamente. Faça o melhor com aquilo que a natureza ofertou para você. Tire o melhor partido possível da situação. É o que sua mãe lhe transmitiu, além da ciência dos cremes, similar à feitiçaria. Você nunca contou o número de potes e frascos em seu banheiro, mas sabe que há um para cada centímetro do seu rosto; ou melhor, um para cada centímetro do seu corpo, passando pelo pescoço, pelo busto, até a sola dos pés.

Findos os primeiros anos da juventude, você nunca mais pôs a cabeça no travesseiro sem tirar a maquiagem, para adormecer com um cheiro diferente daquele com que foi para a festa. Sim, você vai deitar um pouco mais tarde depois de todos esses cuidados. Mas é o preço que se paga para salvar a sua pele.

Riqueza

Ela não usa um anel em cada dedo, nem tem um diamante em cada anel.

Ela não usa um relógio de ouro que custa o preço de um carro de luxo, nem tem um carro de luxo parado na garagem.

Ela não tem uma bolsa ostentosa com o nome da marca estampado.

Mas, embaixo do braço, leva dobrado um jornal inteligente. E cita Sartre ou Deleuze de vez em quando.

Ela quer chamar a atenção, mas apenas com o que diz. Sinais exteriores de riqueza intelectual.

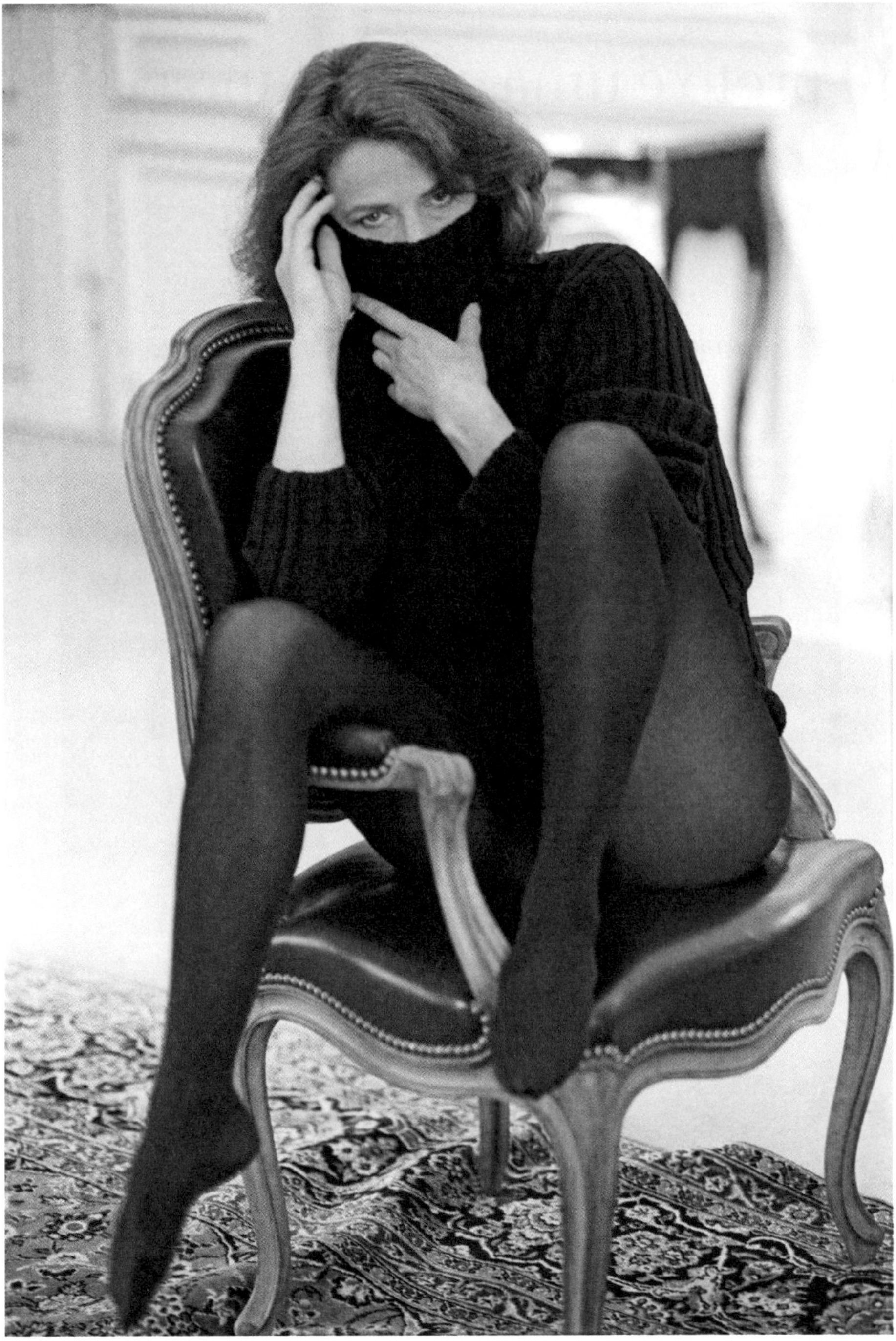

O preto é uma cor luminosa

LADO A

Caso o armário seja composto apenas de peças pretas, não é porque ela está de luto. Ao contrário: o preto, para a parisiense, é cor de festa. A cor das noites que não acabam nunca, das mulheres que baixam a cortina recusando-se a aceitar que o sol já nasceu. O contorno negro e delgado de um corpo, fino e elegante, atravessando uma multidão de outros contornos negros, elegantes e delgados. Assim são as noites em Paris. Como se houvesse um acordo tácito entre todos os que andam pelas calçadas depois da meia-noite. Mesmo o branco pode manchar esse retrato da escuridão. Mas não pense que essa paisagem seja algo monótono. Paris soube definir esse estilo. Palavras enunciadas por um homem que parecia ter, ele próprio, inventado o preto, Yves Saint Laurent. Ele dizia: "Não existe um preto, e sim vários pretos." Ele soube convencer as pessoas que esse estilo acromático era uma arte sutil. Tendo Deus inventado a luz, Saint Laurent parecia tê-la apagado com o mesmo sucesso.

LADO B

Temos que ir para além da superfície para entender o que significa de verdade esse implacável negro. Por detrás das poses, a parisiense esconde um medo, um pânico insano, o de não ser chique. Por isso o preto é prático, é cômodo. É uma aposta segura, mesmo para alguém que não tenha tino para a moda. O preto é um coringa confortável. Ele afina a cintura e disfarça a falta de gosto. É o seu seguro noturno, a promessa de se misturar na multidão fashion. É como se essa moda resumisse o instinto gregário da parisiense, seu lado ovelha... negra. Mas não pense que ela algum dia confessaria que veste um uniforme. E saiba que você não ganha nada apontando a verdade para ela. Caso o faça, irá apenas ver surgir uma nuvem negra na relação. Ela a olhará de cima a baixo, virará de costas, e sumirá na escuridão para sempre.

O TEMPO SUSPENSO

Você toma um café sozinha, sentada na varanda.

Observa as pessoas passando por você, as famílias, as crianças brincando, a moça imersa em um livro, o turista perdido procurando o caminho, o homem com pressa correndo para pegar o ônibus, as folhas de cerejeira espalhadas pelo chão.

Você não tem nenhuma razão específica para estar ali: não tem nada marcado com ninguém. Nem outro compromisso. Ficará o tempo que bem entender, e partirá quando tiver vontade. A sua vontade, e nada além disso, ditará o que vai fazer e como o fará. Há algo de arriscado, e portanto delicioso, sobre essa liberdade.

Você é anônima em sua cidade, sem identidade, idade ou profissão. Pode retomar o controle da sua vida. Sentir a pulsação do seu coração, respirar, ouvir a si mesma. Não fazer nada, fazer de tudo. Saborear esses momentos roubados. Eles ajudam a organizar os pensamentos, e pertencem exclusivamente a você: você é a única responsável pela sua vida.

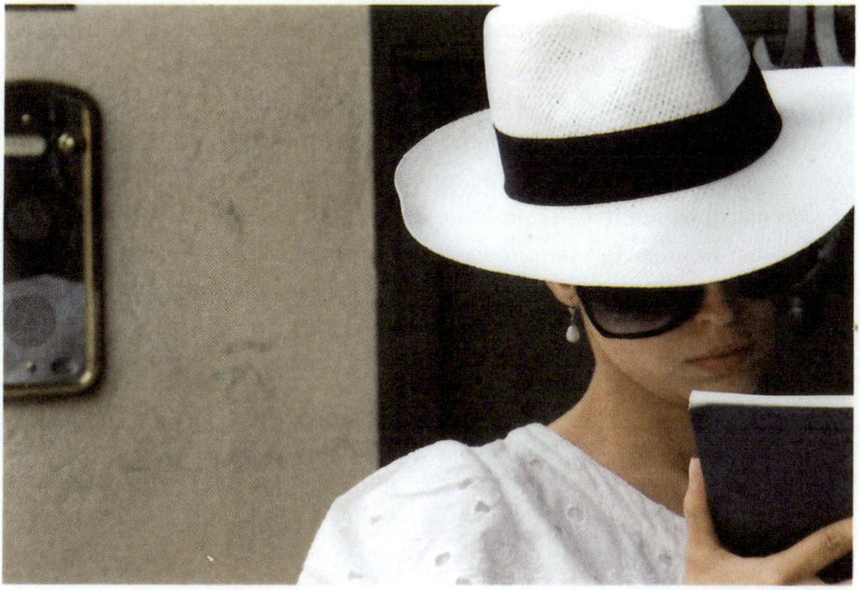

Hoje, mais do que em qualquer outro dia, sua vida está cronometrada, planejada, você vai do ponto A ao ponto B. Mas, nesse momento, o seu telefone está desligado e ninguém sabe onde você está. Sua atitude transgressora é empolgante: você está traindo seus próprios planos, aumentando o escopo de suas possibilidades.

Você poderia desaparecer nesse exato momento, de repente. Pegar um táxi e, depois, um avião para Caracas, a capital da Venezuela, ou para Ulan Bator, a capital da Mongólia, ou talvez simplesmente passar o dia no cinema. Ou então começar uma conversa com a moça que está sentada do seu lado, no café — apesar de ser tão tímida normalmente. Perguntá-la sobre o livro que está lendo, "poxa, não conheço Turguêniev", depois, comentar como o bairro mudou; sair de lá, sentar em um parque; aceitar conversar com um desconhecido que nunca voltará a ver. Não dirá a ele seu nome, de onde vem, o nome dos seus irmãos, o quanto é complexada com suas orelhas, o motivo de ter colado na prova de matemática, ou por que prefere fazer amor de manhã. Apenas compartilhará esse momento, suspenso no tempo, antes de voltar para casa, ligar o telefone, ler as mensagens e falar com pessoas próximas, que estarão preocupadas com o seu breve sumiço.

O sossego é o seu jardim secreto.

É um luxo, a solidão.

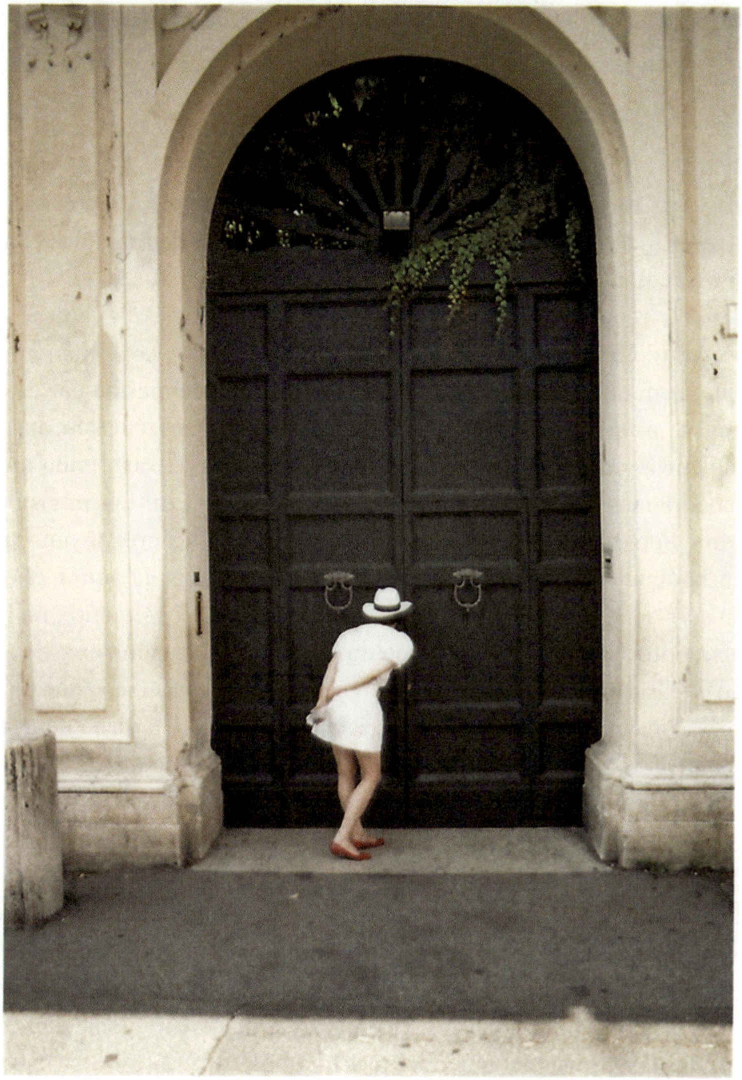

AZUL-MARINHO

Nos anos 1980, uma música tocava sem parar nas rádios. "Eu toquei o fundo da piscina, usando meu casaquinho azul-marinho cheio de furos nos cotovelos, que eu nunca quis costurar."

Nós crescemos ouvindo esse refrão, cultivamos a imagem dessa linda menina desenvolta, com um casaco com gola em V, um casaco da mesma cor dos seus olhos. Todas nós quisemos ter aquele casaco, pouco importava os furos, com a ideia de que assim a gente teria também aqueles olhos. Exagerando um pouco, poderíamos dizer que Isabelle Adjani inventou o azul-marinho. Ou melhor, que Serge Gainsbourg, o compositor dessa música cult, inventou por ela. Gainsbourg era um espirituoso apaixonado. Com alma de pintor, chegou ao ponto de corromper, para uma mulher, essa cor que até o momento, na França, era diretamente associada ao uniforme dos bombeiros. E, como quase sempre acontece, a parisiense concorda com Serge. Esse azul específico é o azul que ela adotou, o da sua calça jeans, do grande xale que ela joga em torno do pescoço durante o inverno, do trench coat que se alonga até o início das suas canelas, e das listras da sua blusa de marinheiro preferida. É o azul da noite profunda, um tom bem próximo do preto, esse preto do qual tanto gostamos. A ponto de desafiar um dos mandamentos absolutos da moda: nunca combinarás preto com azul. Uma rebelião discreta, ok. Mas a parisiense não liga, ela prefere o mistério ao manifesto. Ou, pelo menos, é assim que ela se consola de certa falta de imaginação. E assim como Adjani, ela se contenta em acrescentar um acessório a esse estilo um pouco sóbrio demais, e de coroar o look com "óculos escuros para mostrar tudo o que eu quero esconder".

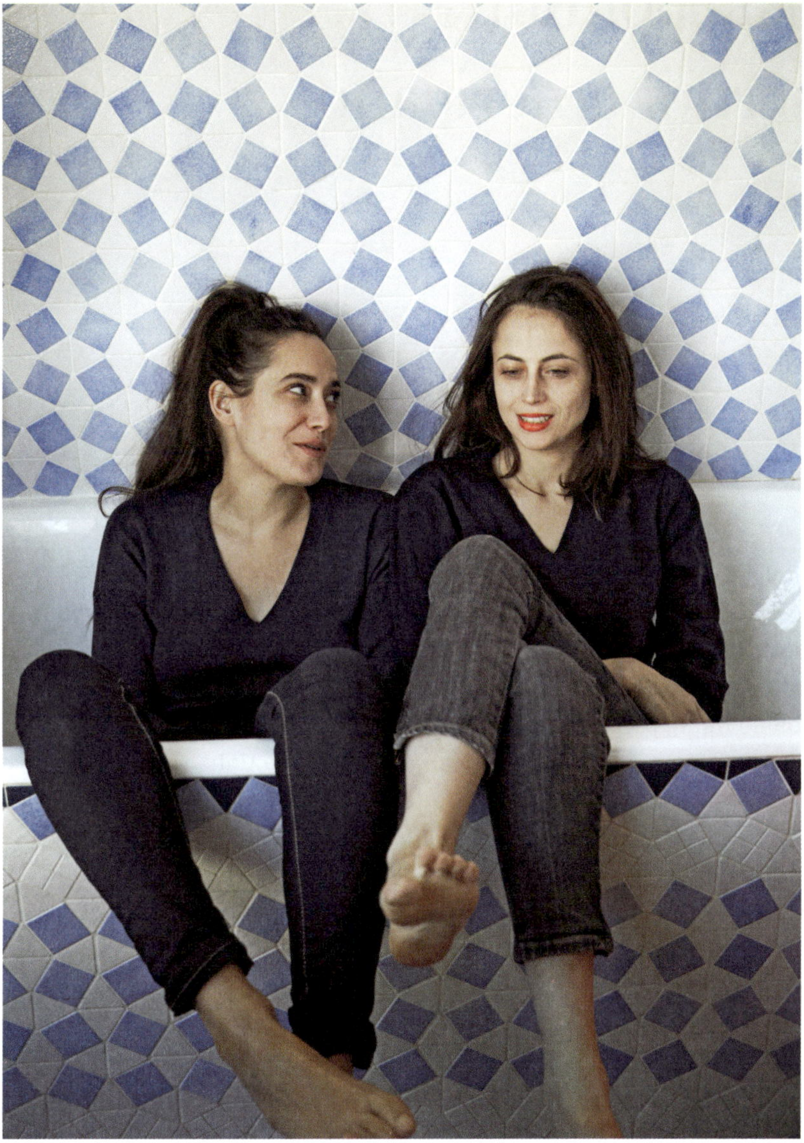

Vista por um escritor americano

"Eles ziguezaguearam pela cidade, sob a luz favorável do entardecer. As parisienses já eram bonitas; agora, ainda mais. O restaurante aonde Claire os levou, nas ruelas estreitas do Quartier Latin, era pequeno e agitadíssimo, com paredes cobertas de azulejos marroquinos. Mitchell sentou de frente para a janela, olhando o fluxo de gente na rua. Em um dado momento, uma menina com cara de quem tinha vinte e pouquinhos, com um corte de cabelo Joana D'Arc, passou bem na frente da janela. Quando Mitchell olhou para ela, a moça fez uma coisa impressionante: ela devolveu o olhar. Ela encarou Mitchell com um comportamento abertamente sexual. Não que ela quisesse transar com ele, necessariamente. Só que ela não se incomodava de reconhecer, nesse entardecer de fins de verão, que ele era homem e ela, mulher, e que se ele a achava atraente, por ela tudo bem."

A trama do casamento, de Jeffrey Eugenides, traduzido do inglês por Caetano Waldrigues Galindo (Ed. Companhia das Letras, 2012)

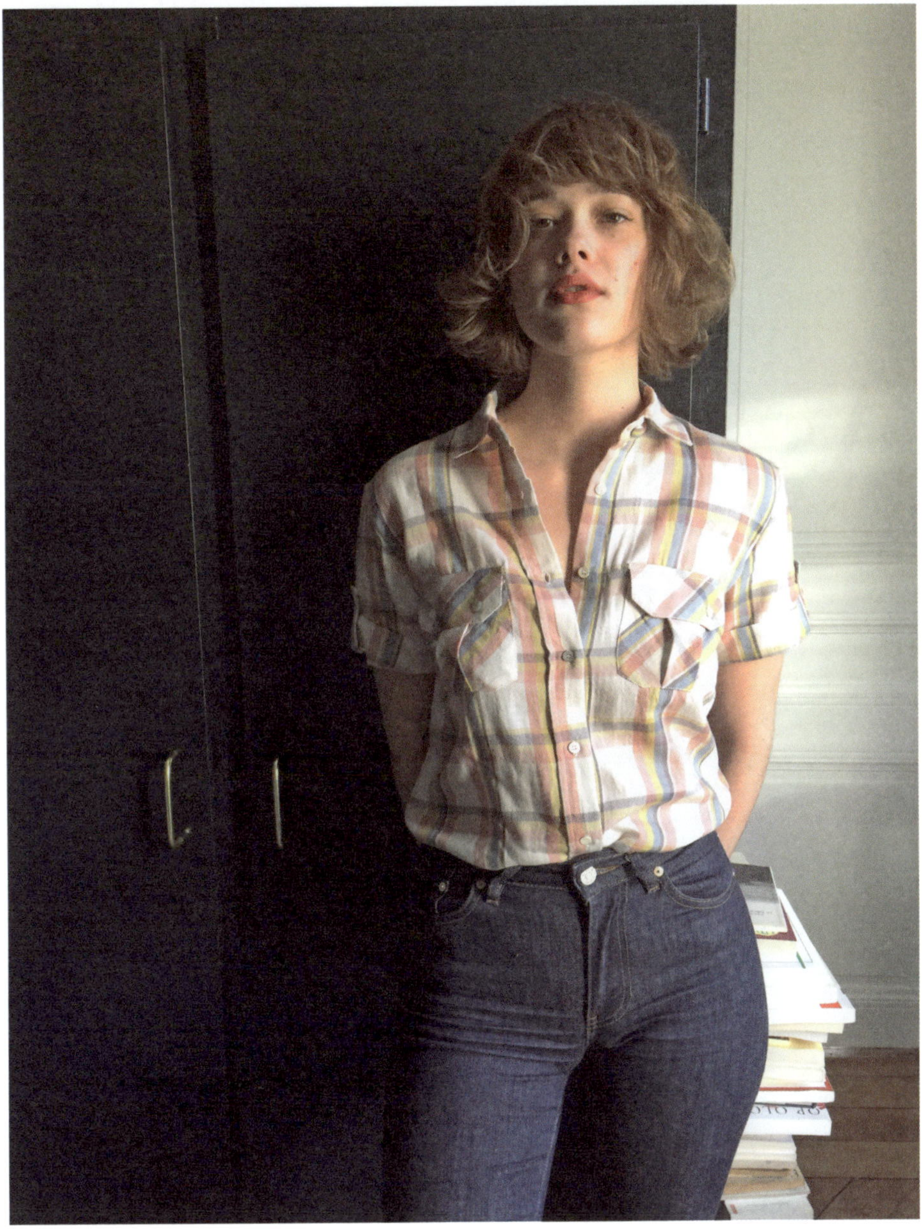

As Simones

Todas as parisienses têm uma Simone guardada em sua memória. A cidade se divide em três categorias distintas: as Simone Veil, as Simone de Beauvoir e as Simone Signoret. Elas conversam, vão umas às casas das outras, e às vezes chegam até a ser amigas. Mas, no fundo, elas consideram que não pertencem à mesma família e preferem aquelas com quem compartilham essa ligação sanguínea secreta. Consideram-se, no entanto, como primas distantes, e essa lógica de tribo é mais um esnobismo do que uma verdadeira batalha entre clãs. Entenda.

AS SIMONE VEIL

Essa mulher é, antes de tudo, uma sobrevivente. Ela conheceu os campos de concentração de Drancy, de Auschwitz-Birkenau e de Bergen--Belsen, e escapou deles com vida. Mas seu nome entrou para a história no dia em que o aborto foi descriminalizado. Simone Veil, na época ministra da Saúde, lutou para conceder às mulheres o direito de escolha. Essa luta lhe rendeu graves ameaças da extrema direita que, é claro, não a intimidaram.
Simone Veil é o arquétipo da mulher inteligente que luta por suas semelhantes. Feminista, iconoclasta, inabalável, ela é o totem das jovens politizadas, conscientes das dores do mundo. Várias mulheres francesas, com formação superior, compunham sua massa de seguidoras que passavam os finais de semana em manifestações acaloradas, esporte nacional da França. É comum que esse engajamento seja para algumas, antes de mais nada, uma forma de se definir, de ter um estilo. Da mesma forma que uma adolescente decide tornar-se gótica.

O MANTRA: *"Minha reivindicação enquanto mulher é que minha diferença seja levada em consideração, que eu não seja nunca forçada a me adaptar ao modelo masculino."*

AS SIMONE DE BEAUVOIR

Ela encarna, antes de tudo, essa maneira tipicamente francesa de amar, essa forma de ser uma "mulher de (alguém)" sem nunca desaparecer por detrás da silhueta do homem que ela escolheu. Ainda que tenha compartilhado a vida com Jean-Paul Sartre, ela deixou uma marca inesquecível na França. A de uma escritora famosa e reverenciada. Ela é também, por sua vez, feminista, traço bastante comum na mulher francesa. Mas é preciso lembrar que ela cresceu com um pai que, durante toda a sua infância, repetia, como um grande elogio: "Você tem o cérebro de um homem, minha filha." Ainda que esquerdista, comunista ferrenha, dentro dela escondia-se uma mulher apaixonada, sempre com medo de se entregar aos sentimentos. A obra que ela escreveu sobre os últimos anos de vida do seu companheiro, *A cerimônia do adeus*, choca pela crueza dos detalhes. Ela é o modelo das sedutoras amazonas, que gostavam de agradar sem demonstrar o quanto se interessavam por esse tipo de coisa.

O MANTRA: *"Ela não buscava o prazer do outro. Ela desfrutava de forma egoísta o prazer de dar prazer."*

AS SIMONE SIGNORET

É a heroína que se sacrifica, que, assim como a Pequena Sereia, daria tudo o que tem — suas pernas, sua voz — para o homem que escolheu. Para essa Simone, esse homem era um dos maiores atores franceses de todos os tempos, Yves Montand. Juntos, representam tudo o que houve de mais glamoroso nos anos 1950. Ela, atriz, escritora, com olhar profundo, lábios carmim. Ele, um sedutor de origem italiana, com um sorriso de deixar as pernas bambas. Ela ganhou o Oscar de melhor atriz pelo filme *Almas em leilão*, em 1960. Mas sua carreira nos Estados Unidos sofreu um revés dramático. No mesmo ano, seu marido atuou em *Adorável pecadora*, e todos ficaram sabendo, ela inclusive, do caso que ele teve com Marilyn Monroe. Ainda assim, Signoret não abandonou o homem que a fazia sofrer, ela aguentou firme, sofreu em silêncio. Silêncio esse que foi rompido apenas muitos anos mais tarde. Depois de Yves voltar para ela, após a morte de Marilyn. Eis o que ela dirá sobre essa mulher: *"Eu me arrependo apenas de nunca ter lhe dito que eu não tinha raiva dela."* Todas as grandes sentimentais do país um dia já quiseram ser um pouco mais como essa Simone, mártir do amor, cuja história é coroada com um final feliz: eles repousam juntos, para toda a eternidade, no cemitério Père Lachaise, em Paris.

O MANTRA: *"O segredo para ser feliz no amor não é ser cega, e sim saber fechar os olhos quando necessário."*

No campo

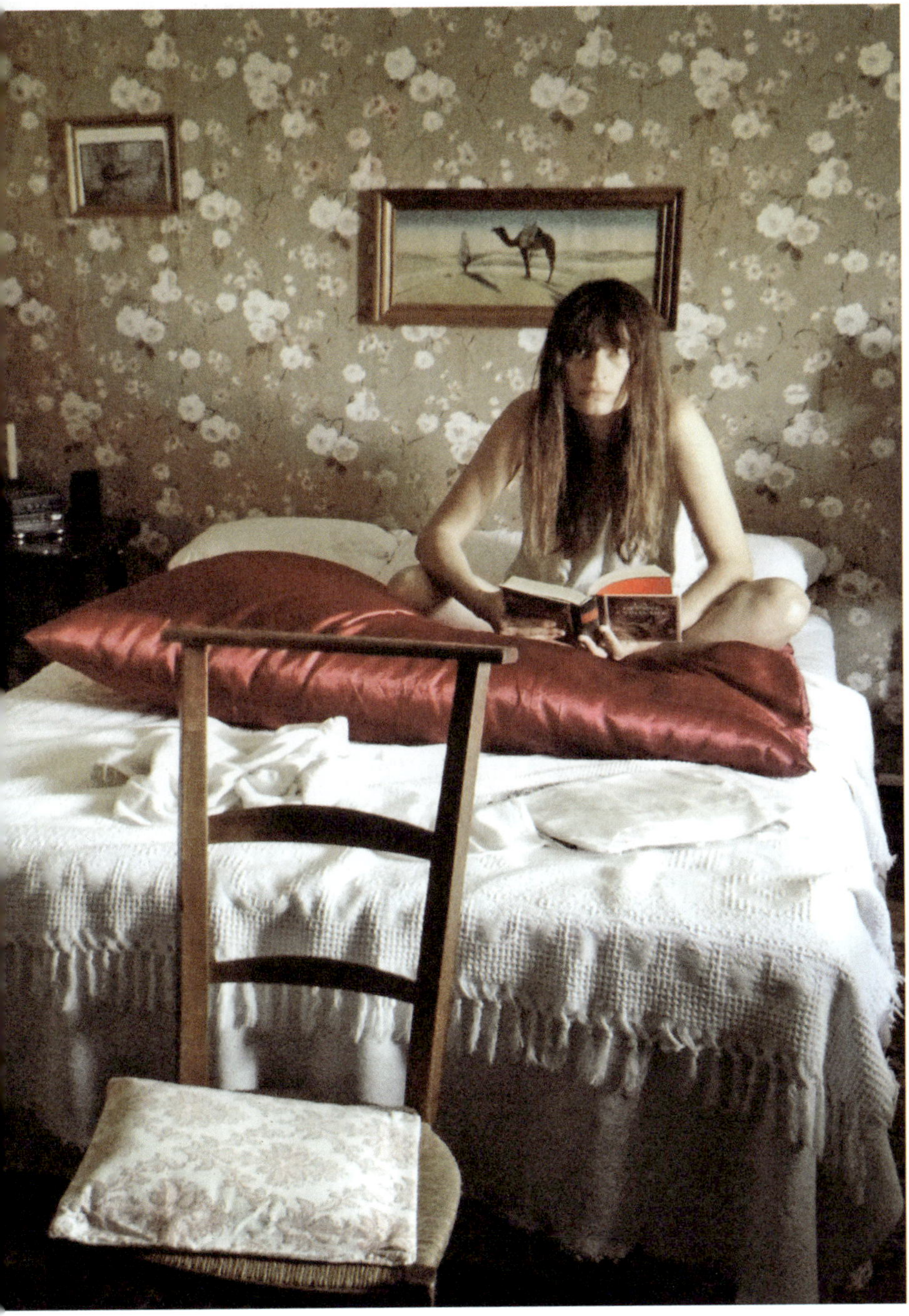

Ao descer do carro, ela se sente um pouco perdida. A parisiense conhece apenas um som, o dos saltos contra o asfalto, a cadência da sua vida. Esse ritmo é sua referência, o metrônomo dos seus dias. Assim que ela põe os pés no campo, com a sola do seu sapato afundando na grama macia, ela sabe que não está mais em casa.

Para falar a verdade, ela só gosta das pradarias verdes nas pinturas, nos quadros que ela sempre via na sala dos pais, e isso bastava. Mas agora, a cada passo, ela sente distenderem os fios elétricos que a conectam com seu mundo. Ele perde a rede de segurança. Internet, telefone. Ela sente calor, sente frio, passa por todas as estações, sem entender porque começa a transpirar. Passa então à sua zona de desconforto. Para ela, o campo é definido pelo que ele não possui. Porque, no fundo, ela ama o que é natural, e não a natureza. Se suas bochechas são rosadas, é apenas porque estão maquiadas. E se cheira a flores, é porque usa perfume de rosas. Sim, ela admite que seu charme é um pouco artificial. E daí?

Com um passo já menos tranquilo, ela se dirige em direção àquela construção que identifica como a casa da fazenda. Mas sem muita certeza. Sejamos francos, ela não tem mais certeza de nada. Ela se dá conta da vida em torno de si. Ouve o zumbido de um enxame de vespas acima de sua cabeça. A sinfonia aterrorizante da natureza indócil a remete à sua própria fragilidade. Uma mosca passeia tranquilamente por sua blusa. E, quando tira os sapatos, ela pisa em cima de urtigas. Essa parisiense que tanto valoriza o conceito de civilização acha quase revoltante o quão intrusiva é a natureza. Sim, ela está exagerando, mas essa é a última arma que tem para defender sua personagem.

Ela senta no banco, bem na frente da casa de campo, e fecha os olhos, deixando o vento acariciar seu rosto. Quando ela para um momento de reclamar mentalmente, é invadida por uma vertigem deliciosa. Ela aprecia a simplicidade dos seus minutos solitários. Chega inclusive a se deliciar com o grandioso espetáculo de uma árvore centenária, que não deixa nada a desejar quando comparada a certas catedrais. Mas isso ela nunca confessará. Defender o campo seria renegar a cidade, trocar de religião e correr o risco de ser excomungada, tornando-se para sempre uma pobre parisiense perdida em uma plantação de trigo.

A MELHOR VERSÃO DE SI MESMA

A partir de certa idade, "cada um tem o rosto que merece". Coco Chanel não media suas palavras — sua crueldade era conhecida por todos. Mas o imaginário coletivo parisiense não deixa de concordar com ela.

Na rua, nos cafés, nos ônibus, o rosto das pessoas conta uma história, como uma bola de cristal onde se pode ler o passado. Amores realizados ou perdidos, nascimentos, esperanças e vitórias, sucessos misturados com acidentes de percurso.

Essas experiências, e a forma como elas nos afetam, tornam-se nossa identidade. Tudo à vista para quem quiser ver.

Ou temos sorte e nascemos de um jeito que a gente acha bonito. Ou não.

E a vida quase sempre corrige as injustiças. Aquelas meninas lindas, princesinhas do colégio, que tinham tudo de bandeja e se acomodaram com todo esse conforto são eclipsadas por belezas que surgem de onde menos se espera. Por aquelas que transformam suas diferenças em trunfo, em marca registrada. E que, como o bom vinho, envelhecem bem.

E essas mulheres entenderam que algumas coisas são imutáveis: não adianta nadar contra a corrente, o importante é acompanhar o fluxo.

É melhor aparentar a idade que se tem do que não aparentar idade nenhuma. Todo mundo já descobriu que cirurgia plástica demais acaba paradoxalmente tendo o efeito inverso. É verdade, algumas mulheres dominam como ninguém a arte do botox, mas na maior parte das vezes, sejamos honestos: em vez das rugas, o que se vê é a face do medo.

As mulheres parisienses não querem se passar por quem não são. Porque, na verdade, mais do que parecer jovem — o que é uma ilusão — o que elas querem é tornarem-se a melhor versão de si mesmas, por dentro e por fora, em qualquer idade.

Elas preservam uma convicção das mais importantes: "Aproveite o rosto que você tem hoje. É o que vai querer ter daqui a dez anos."

Arrume tempo para conversar com a senhorinha que mora ao seu lado, arrume tempo para ler um livro, para caminhar para o trabalho nos dias de sol em vez de ir de metrô, arrume tempo para viajar com os amigos no final de semana.

Arrume tempo para se conhecer, para se ouvir, arrume tempo para mudar, arrume tempo para descansar, arrume tempo para dizer sim, para dizer não, arrume tempo para ouvir o silêncio, arrume tempo para cuidar do corpo, arrume tempo para comer bem, arrume tempo para se perguntar quem você é, o que você quer.

Para telefonar para sua avó no dia do aniversário dela, e para enxaguar o cabelo com água fria como ela te ensinou. Para dar atenção a seus filhos, respirar profundamente, para fazer um suco de laranja no café da manhã. Arrume tempo para ir ao museu, para passear na floresta e escutar o barulho dos bichinhos no mato. No verão, faça um jardim de temperos com uma criança, leia uma história para ela. Arrume tempo.

Arrume tempo para ter tempo, porque ninguém vai fazer isso por você.

E brinque no banho, como fazia quando era criança.

DÊ
TEMPO
AO
TEMPO

Joias

As parisienses costumam usar poucas joias.

A *inseparável*. Uma correntinha, um anel simples, uma joia de família. Algo o mais discreto possível, que fique perfeito em você. É sua marca registrada.

A *peça de destaque*. Uma enorme pulseira dourada, ou um colar de pedras. Reservada para fazer um floreio em uma combinação simples, usada durante o dia. Ou na praia, combinando com seu bronzeado.

A *teoria da oposição*. Quanto mais elaborada for a roupa, menos joias devem ser usadas.

"As Joias", de Baudelaire. "A amada estava nua, e conhecendo meu coração não vestia nada além de joias." Lembremos a lição: ao ir para a cama, não se tira as joias. Seja para dormir ou fazer amor. Traz bons sonhos.

A *verdadeira imitação*. Usar bijuteria não é motivo de vergonha. Devemos cultivar a arte das bugigangas. Usamos para sair à noite porque não estamos nem aí se vão ser roubadas no metrô. Por outro lado, não usamos a imitação do verdadeiro. As bijuterias que querem se passar por uma joia refinada são uma heresia.

Relógio. Ele é considerado uma joia. Mas isso não quer dizer que precisa custar caro. Não. Quer dizer só que precisa ser bonito, antigo ou divertido. Ele completa um look, deixando-o mais elaborado ou contrastando-o.

A *história*. Você não precisa ter muitas joias, mas cada peça deve ter uma história. Joias de família, souvenirs de viagens. São preciosas não pelo preço, e sim pelo valor sentimental.

CENAS DA VIDA PARISIENSE — TAKE 3

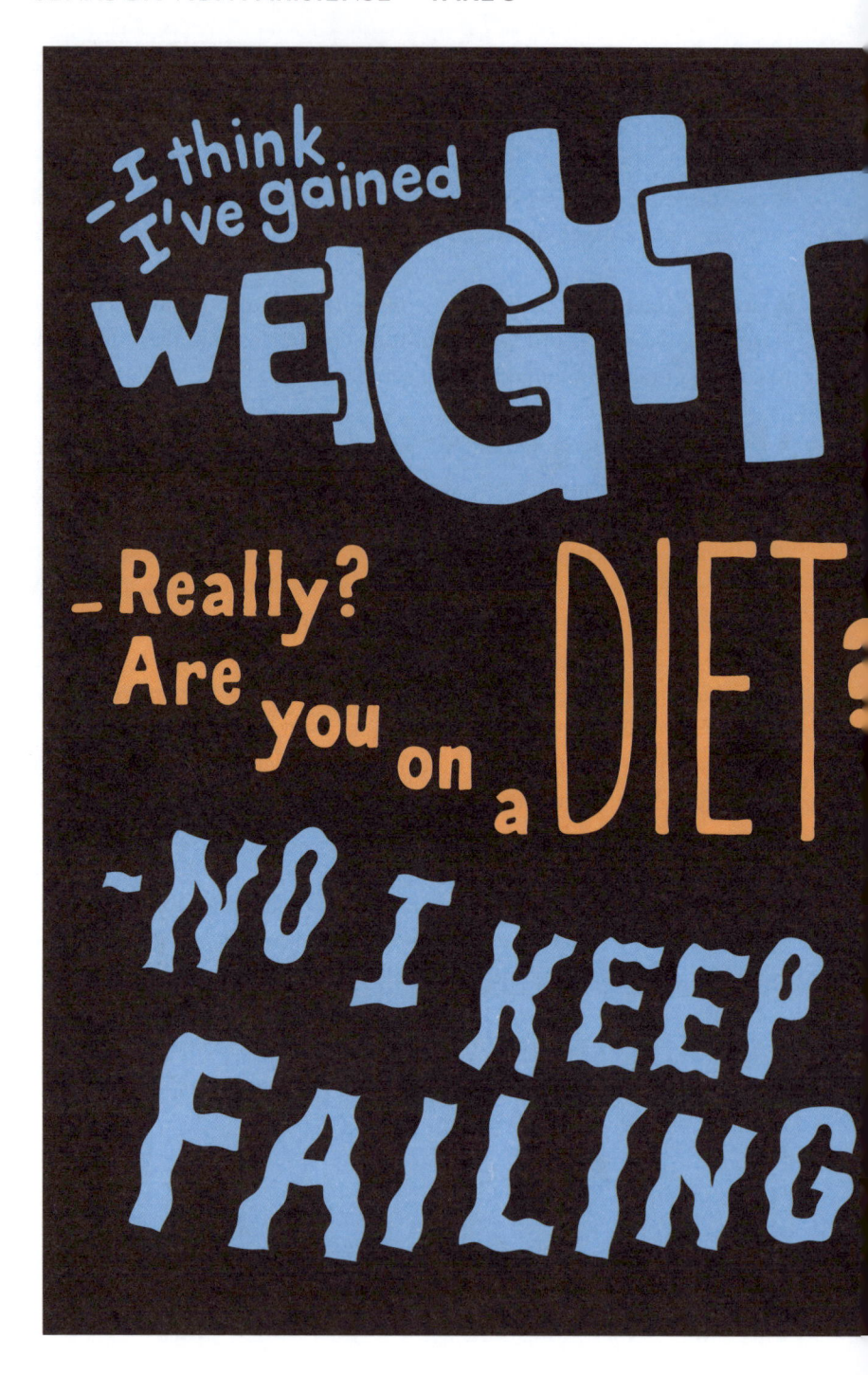

- I think I've gained WEIGHT
- Really? Are you on a DIET?
- NO I KEEP FAILING

- Acho que eu engordei.
- Sério? Começou um regime?
- Não, não consigo.

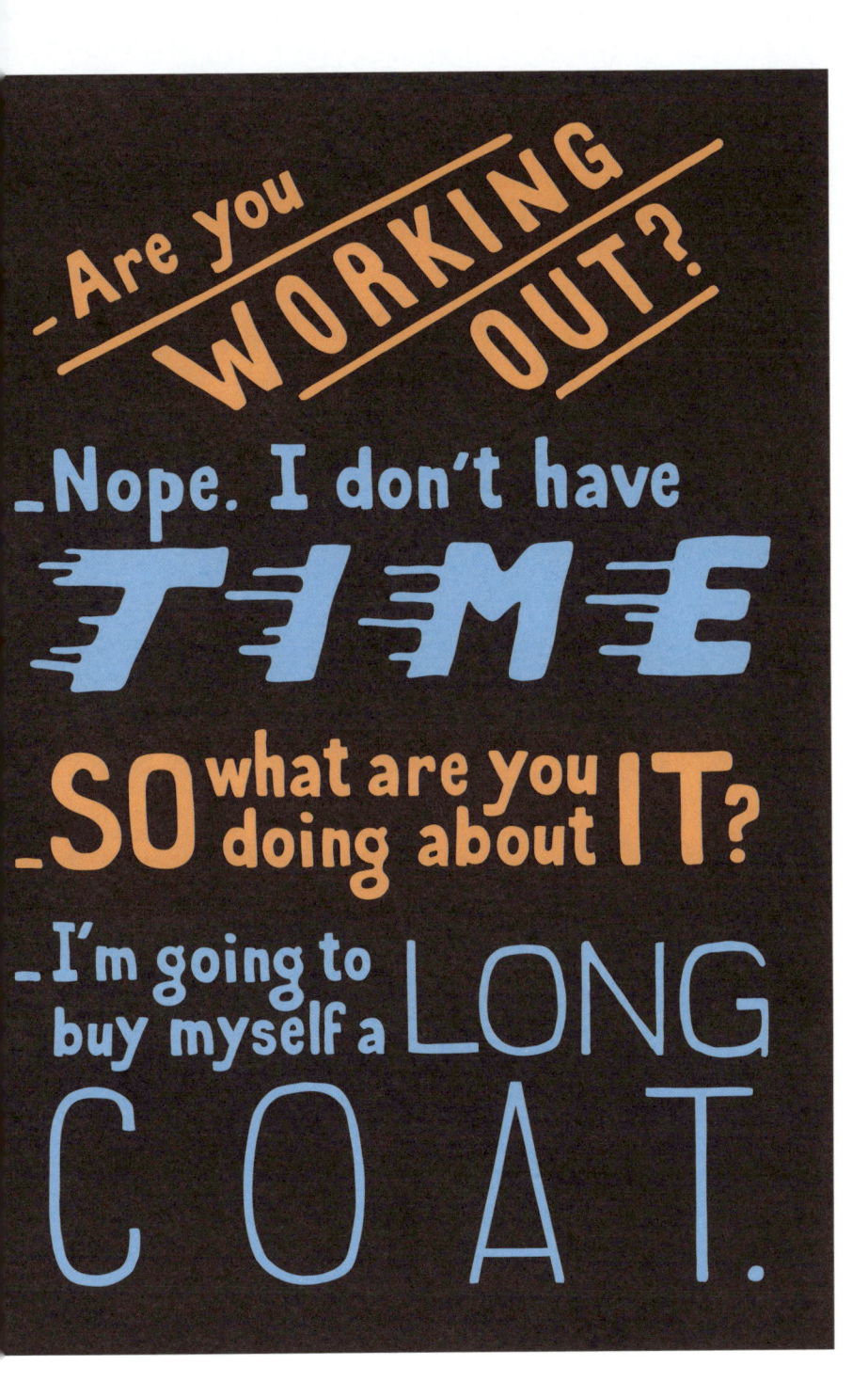

- Are you WORKING OUT?
- Nope. I don't have TIME
- SO what are you doing about IT?
- I'm going to buy myself a LONG COAT.

- Entrou para academia?
- Também não. Não tenho tempo.
- Então está fazendo o que em relação ao seu peso?
- Vou comprar um casaco comprido.

4

OUSE AMAR

O HOMEM IDEAL

Ele não é musculoso (você prefere imaginá-lo com um livro, não na academia).

Ele não se barbeia (a tal ponto que você nunca sabe exatamente quem é o homem por detrás daquela barba).

Ele é limpo (mas disfarça um pouco).

Ele é divertido (até o dia em que some).

Ele tem algo especial (mas não é um carro).

Ele tem classe (mesmo sem fazer nenhum esforço para isso).

Ele é cafajeste (mas você sempre o perdoa).

Ele não é perfeito, mas tem a inegável qualidade de ser de carne e osso.

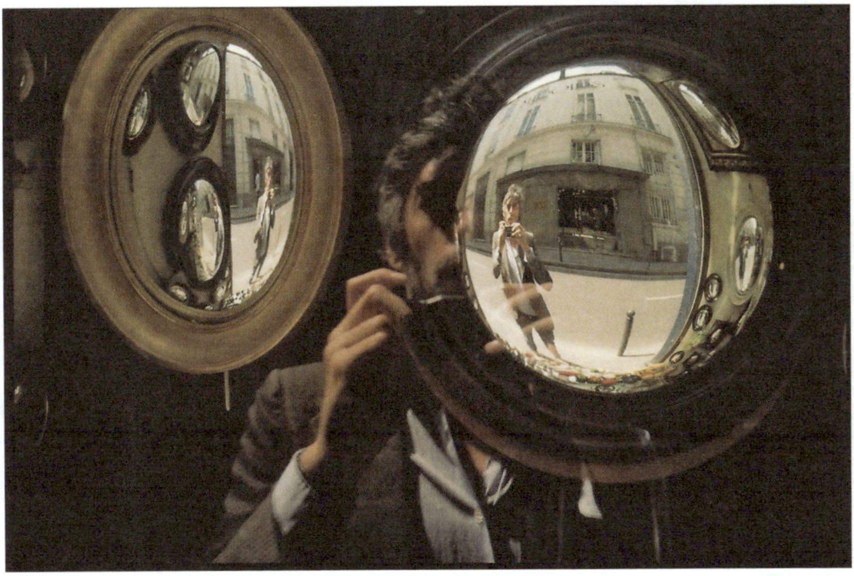

TEXTO OTIMISTA SOBRE O AMOR

Em geral, as histórias de amor acabam mal.

Você ouviu isso mil vezes quando era nova, e tem mais: disseram-lhe exaustivamente que teria vários amores. Então, como o primeiro poderia ser o homem da sua vida? Você ouviu mais de uma vez que teria todos os tipos de tentação ao longo do caminho. Sem contar que ele também tem, naturalmente, vontade própria.

Tudo isso é verdade, de fato. Estatisticamente você tem (muito) mais chance de terminar com ele do que de amá-lo para sempre. E se ele não ligar de volta, é porque não era para ser. Ele vai encontrar alguém que combine mais com ele. Melhor assim, para os dois.

Mas para toda regra há uma exceção. Não é mesmo? Você não pode cercar-se de certezas (não só sobre o amor, mas também sobre tudo na vida), e o homem ideal não existe. É bom que sejam todos inadequados, para que você reconheça o certo quando ele aparecer. Último lócus da improvisação, o amor é a única esfera na qual não temos escolha. Eis sua mágica, o que o faz maravilhoso, atemporal.

A boa notícia é que, graças a todos esses seus relacionamentos — contando, claro, todos os seus momentos menos gloriosos —, você aprendeu a se conhecer, a ser mais forte e independente. Aprendeu a se virar sozinha. E, portanto, não precisa de ninguém para ser feliz. Mas verdade seja dita: com ele, é melhor.

Tanto em Paris quanto em qualquer outro lugar é bom saber desconstruir suas certezas para conseguir apaixonar-se.

As verdadeiras armas

Baseado em uma fábula do psiquiatra Milton Erickson

Milton Erickson (1901-1980) não tinha nada de parisiense. Era um grande psiquiatra americano, especializado em terapia comportamental, em hipnose e no tratamento de neuroses por meio da terapia de família.

Quando criança, presenciou uma cena que o marcou para sempre: alguns fazendeiros tentavam tirar um bezerro de dentro de uma cocheira. E o bezerro, por sua vez, não queria sair. Os fazendeiros o puxavam pelo rabo, inutilmente. O bezerro fazia força para o outro lado e não se mexia.

Até que os fazendeiros tiveram uma ideia.

Bastava que puxassem o rabo do bezerro no sentido contrário. O bicho mudou o plano imediatamente e correu para fora. Ele saiu da cocheira, sozinho.

Milton Erickson tirou uma verdadeira lição sobre a psicologia humana dessa experiência. A gente erra muitas vezes, insiste no erro, quando bastaria fazer exatamente o oposto para obter o resultado desejado.

As verdadeiras armas das parisienses em caso de conflitos amorosos:

AS LÁGRIMAS

Algumas mulheres pensam que os homens se emocionam com as suas lágrimas. Talvez elas ainda cultivem a ilusão de que isso tenha algum efeito, uma vez que funcionava quando eram crianças.

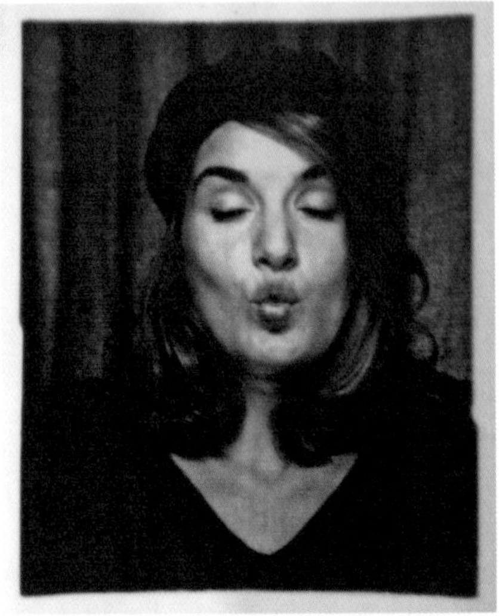
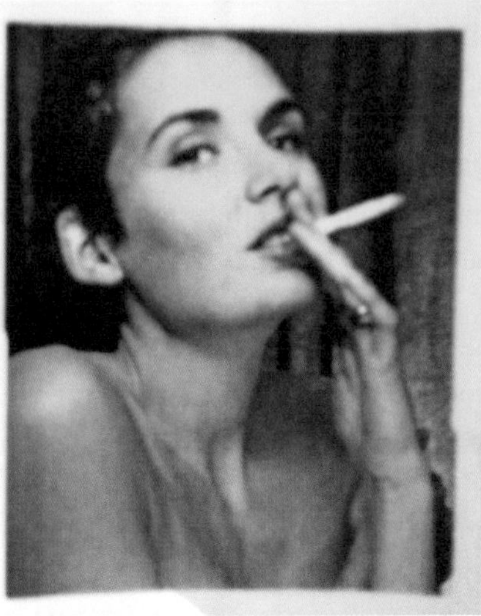
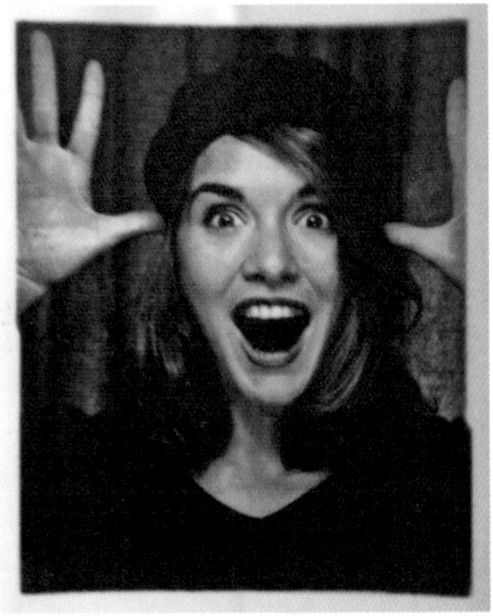
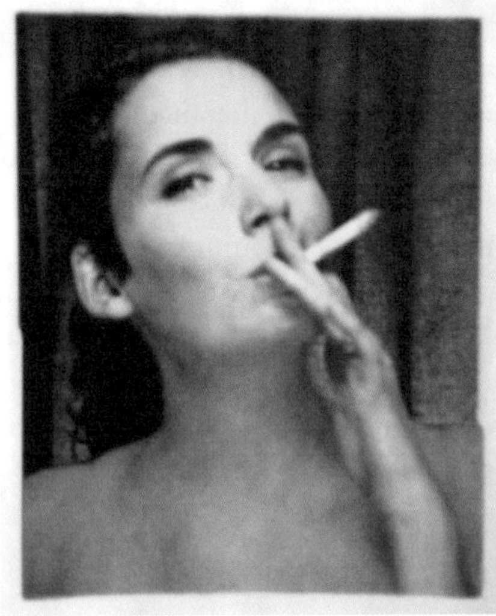

Não se engane, suas lágrimas não demonstram sua fragilidade. Aceite, elas não são comoventes. Chorar não é uma arma, é um ruído, muco, energia desperdiçada inutilmente.

A não ser que... você não chore nunca. Aí, nesse caso, quando você finalmente chorar, pode ter certeza que isso vai mexer com a cabeça dele.

Mas, cuidado, é uma oportunidade única. Escolha o momento certo, você não vai ter uma segunda chance.

O CIÚME
O ciúme é um estorvo para todos os envolvidos: para quem sente e para quem é objeto dele. Nesse jogo, não há vencedores.

Em vez de dar um piti, a parisiense se segura. E não cultiva o medo fantasioso, corta-o pela raiz. Ela poderia dizer: "Essa mulher, além de linda, é tão simpática e inteligente!" Eis a melhor forma de apagar o incêndio: reconhecer que o medo existe.

Caso, entretanto, o incômodo perdure, caso o risco seja maior do que o previsto, convide a adversária para jantar no domicílio conjugal. Levar o lobo para o meio do rebanho fará dele um cordeiro. Na pior das hipóteses, você vai ganhar uma nova amiga.

A DIFAMAÇÃO
Colocar o outro para baixo para deixá-lo à sua mercê: uma bela idiotice. Fazê-lo crer que ele não chega aos pés de qualquer cara aleatório que você encontra pelas ruas é inútil. As palavras cortantes, desagradáveis, não farão com que ele mude. Farão com que fuja. Por que ele deveria ficar com alguém que pensa tão mal dele? Em vez disso, cubra-o de elogios. Orgulhoso, com o ego massageado, ele vai querer uma só coisa: ser tão bom quanto a imagem que você pinta dele.

ACUSAR A FAMÍLIA DELE
Nunca, jamais, fale mal da família dele. Diga que sua sogra é uma mulher perfeita. Ele nunca vai se esquecer disso.

CARA FEIA
Na França, temos uma expressão para quem fica de cara feia na cama: *l'auberge du cul tourné*, ou seja, o albergue da bunda virada — quando um ignora o outro e dorme virado de costas.

O problema é que ficar emburrada é uma punição acima de tudo para você mesma. Cara feia é perda de tempo, energia desperdiçada que poderia ser utilizada de forma criativa. Em vez de fazer bico, pousar de mulher perfeita é uma arma de desestabilização muito mais eficiente. Fique alegre, sensual, brincalhona... Faça qualquer coisa, menos ficar emburrada. Ao se deparar com o que ele pode vir a perder, o pedido de desculpas vai surgir antes do esperado.

A troca de carícias (e não a troca de insultos) é o que ajuda um a entender as dores do outro.

CHANTAGEM OU SUICÍDIO

A chantagem emocional não serve para nada. Quanto à ameaça de suicídio, ninguém acredita que você teria coragem de verdade. Inútil engolir todo um frasco de bolinhas homeopáticas, a única coisa que isso atesta é que você não cumpre sua palavra.

Em vez de ameaçar desaparecer para sempre, desapareça de verdade. Tranquilamente, pegue sua bolsa, as chaves e, de boca fechada, atravesse a porta sem olhar para trás. Vá dar um passeio, seja por uma hora, ou por uma semana. Dê um tempo, desligue o telefone, desfrute o silêncio. Respire e sinta como é bom estar viva.

APAIXONADA PELO AMOR

Imagine um graveto qualquer. Jogue-o em um lago congelado. Espere um pouco. Dia após dia, ele será coberto por uma fina camada de gelo. Seu graveto por fim terá um brilho luminoso, como uma pedra preciosa cintilante. Terá passado por um processo de "cristalização". Com o amor, é igual. No momento do encontro, o objeto amoroso está coberto de um verniz de perfeição que o torna extraordinário. Pelo menos foi assim que Stendhal, o escritor do século XIX, descreveu o estado amoroso em seu livro intitulado *Do amor*. Segundo ele, a cristalização é um estado passageiro, semelhante à loucura obsessiva, no qual o outro é idealizado. Frequentemente, a situação se extingue em pouco tempo. Mas com as parisienses é diferente. A parisiense é apaixonada pelo amor. Enlouquecidamente. Toda sua vida gira em torno dos batimentos de seu coração.

A "cristalização" é seu desequilíbrio mental, que faz com que ela faça absolutamente qualquer coisa.

Escrever cartas que nunca serão enviadas. * **Gastar uma fortuna em lingeries que tampouco serão mostradas.** * Amar com a mesma violência três homens em uma semana. * **Recusar uma reunião de trabalho para esperar uma ligação que nunca será feita.** * Viver com alguém na cabeça sem ao menos saber seu nome.

Eis o segredo da parisiense, o que mantém suas bochechas rosadas e o sorriso em seus lábios. Seu amor pelo amor. E ainda que o objeto amoroso mude, ainda que ela seja capaz de hoje amar um e, amanhã, outro: o sentimento perdura. Ela é completamente fiel, mas nem sempre ao mesmo homem.

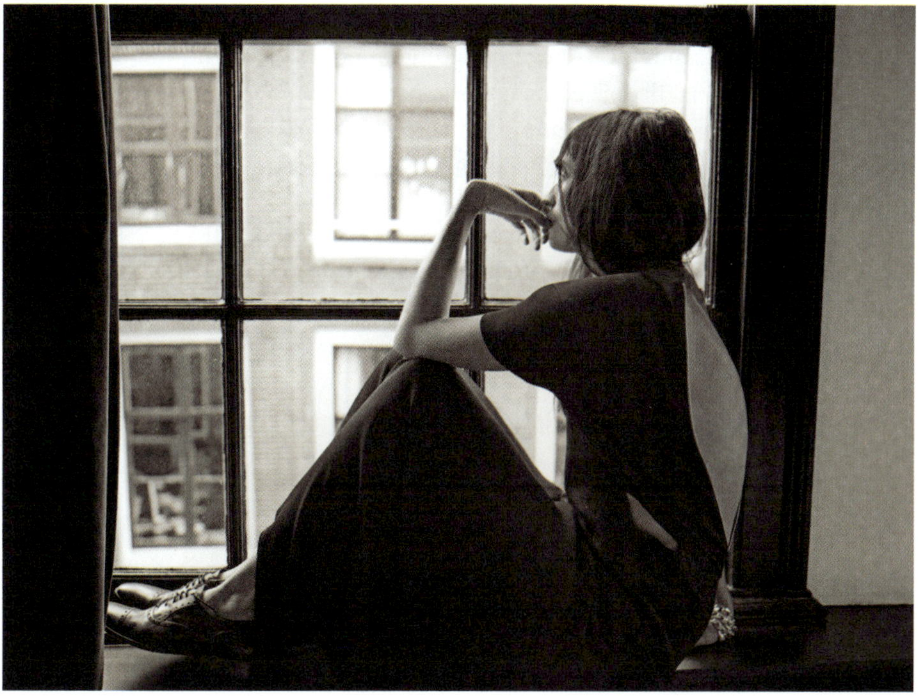

Os conselhos das nossas mães

Elas receberam esses conselhos de suas mães e os transmitiram para nós assim que aprendemos a andar. Eles reverberaram em nossas vidas, primeiro como pontos de referência, depois como guias e, por fim, como mantras. E, para falar a verdade, a gente nem sempre concordou com eles. Chegaram até a nos irritar, já que nem sempre eram convenientes. Mas, com o tempo, cedemos às evidências: elas estavam certas.

Conselhos a transmitir, caso tenha filhos ou não:

* Esteja sempre preparada, ele pode estar na próxima esquina.

* O amor, por si só, nunca é suficiente. É preciso dedicar-se.

* A idade nunca deve ser uma desculpa para ir dormir cedo.

* Seja independente financeiramente, para que todos os amores sejam verdadeiros.

* Quando vocês não quiserem mais se amar, vocês ainda estão apaixonados. Quando vocês ainda quiserem se amar, vocês não estão mais apaixonados.

* Se for para ser, ele vai voltar correndo.

* Não é porque temos só uma vida que precisamos ter medo de estragá-la.

"Os únicos olhos bonitos são aqueles que te olham com ternura."

— COCO CHANEL

ESSE DETALHE A MAIS

"Você está grávida." Que notícia maravilhosa! Mas a gramática esclarece que a palavra "grávida" pode ser apenas um adjetivo. O adjetivo te descreve, mas não te define.

Você aproveita esse estado de graça para ousar nos decotes. Afinal, você continua uma mulher sexy.

Você sorri para todo mundo no metrô, depois começa a chorar, antes de voltar a sorrir: você é uma mulher à flor da pele.

Você vai para as suas lojas preferidas e compra roupas GG, mas não pisa nas lojas de grávida, você é uma mulher que valoriza a moda.

Você não se considera a oitava maravilha do mundo, você é uma mulher lúcida.

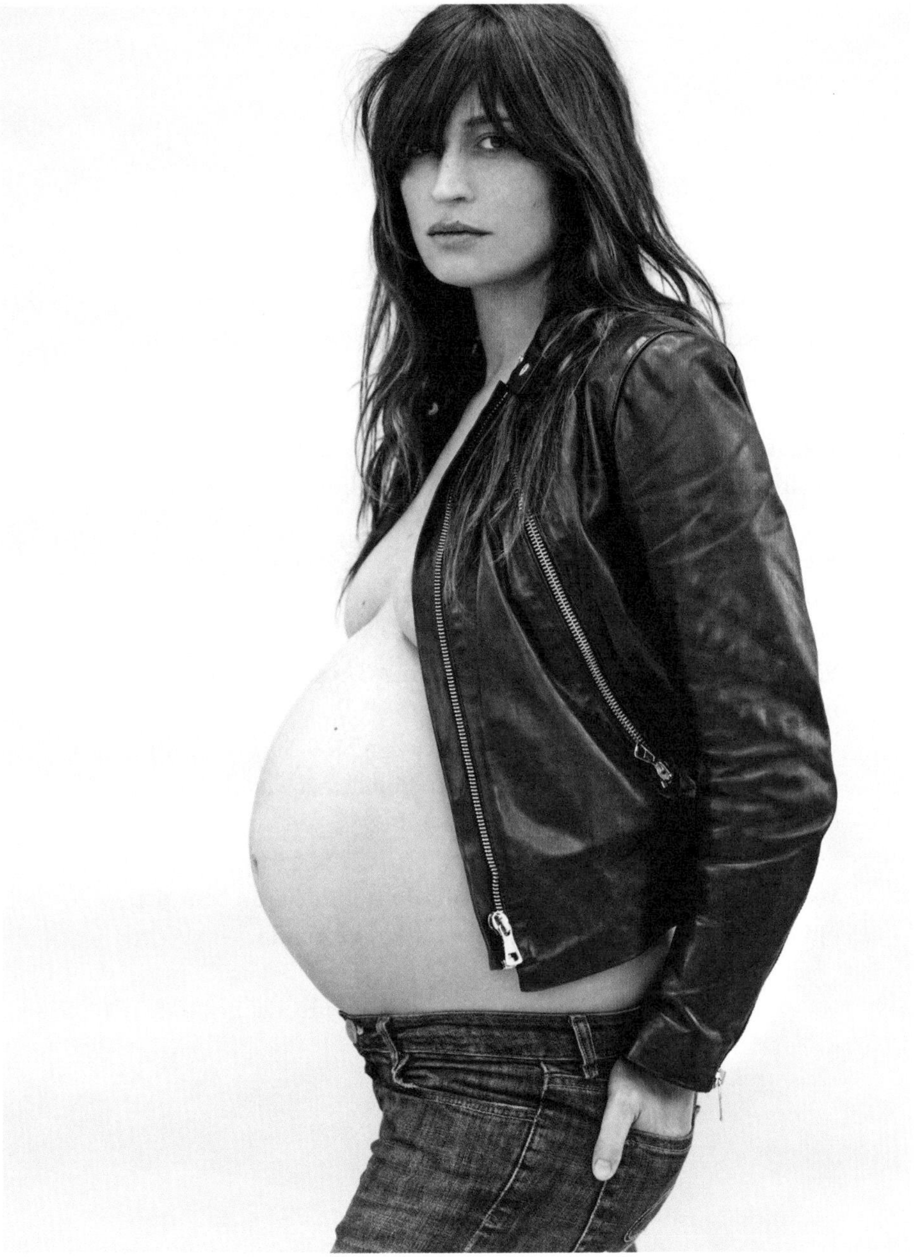

Você não muda o círculo de amizades com a desculpa de que eles não têm filhos e que não te compreendem mais, você é uma mulher fiel.

Você não descreve para suas colegas de trabalho seus problemas de estrias, você é uma mulher reservada.

Você quer falar do último filme que viu, e não da respiração do rebento, você é uma mulher do seu tempo.

Você tem medo de falhar, de ser inútil e sem noção, você é uma mulher consciente.

Você tem momentos de felicidade tão grandes que acha que vai explodir, você é uma mulher apaixonada.

Você não conta para o seu cunhado o medo que tem da episiotomia, você é uma mulher bem-educada.

Você não considera que sua barriga proeminente justifica todo tipo de capricho, você é uma mulher adulta.

Você não compartilha com todo mundo que conhece as fotos da sua última ultrassonografia, você é uma mulher que sabe apreciar suas alegrias privadamente, em seu jardim secreto.

Você não organiza um chá de fraldas, você é uma mulher que não precisa ser celebrada pelo simples fato de ter tido uma relação sexual oito meses antes.

Você anda de salto alto até a porta do hospital, você é uma mulher forte.

Você bebe um drinque sem álcool, porque você não é mulher de beber suco em noitada.

Você não se culpa por não ter vontade de ir ao curso de parto da moda, você é uma mulher livre.

Você não é definida por essa etapa passageira da sua vida. Essa etapa só acrescenta. Você é uma mulher grávida, o que significa que você continua a ser uma mulher. Mas com esse detalhe a mais.

A FESTA

São 22h59.

Seus olhos estão vermelhos de tanto olhar para a tela. Você desliga o computador. Todos os seus colegas de trabalho já foram embora há muito tempo. Você gostaria que tivesse pelo menos uma testemunha, vivalma. Seriam pelo menos duas mãos para aplaudir os feitos do seu dia. Você passa pela porta, sobe na sua scooter. Quer ver gente, qualquer pessoa. Você vai encontrar uma amiga meio furona em uma festa aleatória. Mas e daí? Uma festa é uma festa. E nessa altura do campeonato, qualquer coisa serve. Você só quer estar com outras pessoas e ver no que dá.

Mas, quarenta minutos depois de chegar à festa, tanto sua taça de champanhe de plástico quanto você perderam o encanto. Você está plantada na frente de uma estante de livros e finge estar interessada.

— Então, tudo bem com você, Zelda? Que festa, hein?

Esse moreninho que veio te importunar parece estar achando a maior graça te ver deslocada. Você tenta se esquivar, desencorajá-lo:

— Você não tem ninguém mais com quem falar?

— Até que sim, mas ninguém tão divertido. Ver uma mulher bonita assim sozinha em uma festa onde ela não conhece ninguém, mofando na frente dos livros, à meia-noite: não tem preço.

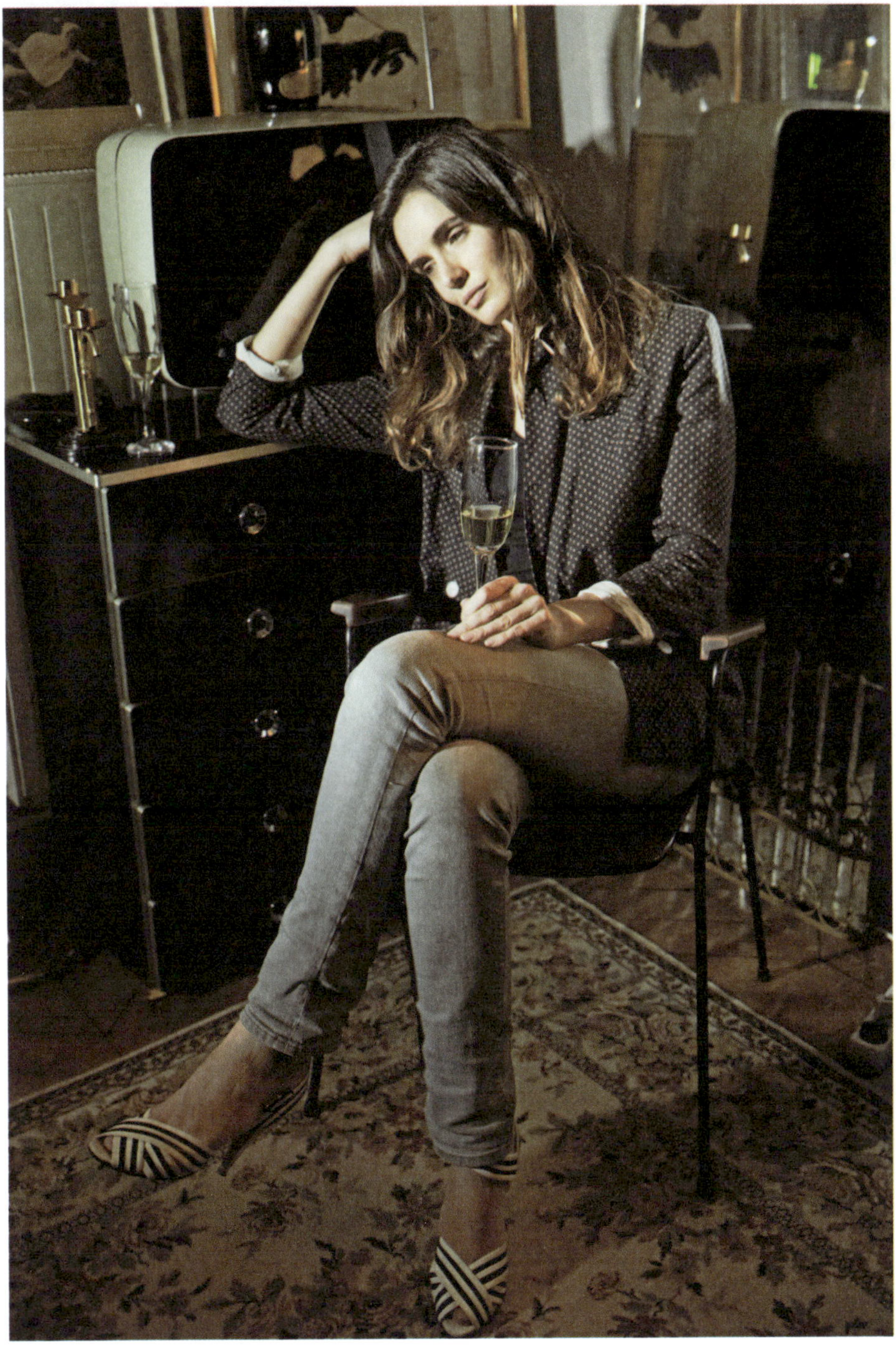

— Olha, você é um poeta quando quer conquistar alguém, hein?

— Quem disse que eu quero te conquistar?

O cara é mais esperto do que você pensava. Ele tem razão, e vocês dois sabem disso, mas você prefere revidar em vez de se dar por vencida. E você está sozinha, desesperadamente sozinha. A amiga que vinha te encontrar se perdeu no caminho. O que não é nada surpreendente. Em Paris, à meia-noite, é cada um por si.

Você chega à conclusão de que a melhor forma para ele te deixar em paz é ficar na sua, certamente. Começa a ouvir a conversa de duas garotas meio bêbadas, bem do seu lado.

— Espera aí, não entendi...

— Juro, ele falou: Eu vou te *comer*!

— Meu deus, eles ficaram todos loucos....

— É, mas sabe do pior? No fundo, eu gostei.

Você não tem tempo de refletir sobre a profundeza dessa poesia boêmia. O cara, teimoso, percebe a deixa e tenta de novo.

— Você é chata assim mesmo ou isso é um privilégio meu?

Você está quase dando um fora mais incisivo nele quando vê o seu ex chegar. Sem dúvida, é o seu dia de sorte. E, de repente, você fica com vontade de engatar uma conversa, fingindo sincero interesse. Retoma.

— Você quer puxar papo ou me ofender?

Ele hesita por um momento, analisando-a.

> — Eu só estou tentando conversar com uma mulher que eu achei interessante.

> — Ah, então você me achou interessante?

Ele fica desconcertado. Agora a vantagem é sua. Mas seu ex te cumprimenta de longe com um gesto vago (que babaca) enquanto a nova namorada dele te ignora solenemente e segue em frente (que puta). Ferida, você conclui que esse carinha do seu lado merece crédito no mínimo por disfarçar seu desconforto (um herói).

E eis que outro cara escolhe esse exato momento para ensaiar uma abordagem. Mas você o interrompe antes que ele consiga dizer qualquer coisa:

> — Agora não!

Ele se afasta, com o rabinho entre as pernas, enquanto o cara moreno, ainda do seu lado, solta uma gargalhada. Ele não perdeu um segundo do fora que você acabou de dar.

> — Vocês mulheres são muito engraçadas! Vocês lutam pelo feminismo, pela igualdade entre os sexos, mas, quando é para dar o primeiro passo, é sempre a mesma coisa.

Pronta para o round final, você decide acabar com aquilo de uma vez por todas.

> — Olha, escuta, a gente não se conhece, então tchau, ok? Você não pode me culpar por todos os foras que já levou.

Ele olha fixamente para você. Com um brilho malicioso nos olhos.

— Não. Quem vai me escutar agora é você, garota. Eu vou explicar como é isso para os homens. Talvez você se comporte diferente da próxima vez que um cara ousar falar com você. Ele tem que:

1. Saber levar um fora sem levar isso para o lado pessoal.

2. Retomar a batalha, como se nada tivesse acontecido.

3. Encontrar um tema interessante para conversar, ainda que a sua presa esteja olhando outro cara por cima dos seus ombros. Um cara com quem ela já foi pra cama, com certeza, mas que hoje não está interessado em tentar a sorte.

4. Continuar a falar com essa mulher sem se perguntar por que esse cara não quer tentar a sorte hoje.

5. E continuar a ser um cavalheiro mesmo quando essa pessoa insulta outro cara que tentou puxar assunto.

Você então olha para ele e reconhece que dessa vez ele jogou bem (e que talvez ele seja interessante, afinal). Ele continua:

— E se você insistir e conseguir deixar essa pessoa detestável interessada em você, você vai ter que dar conta. Você tem a pressão: vai precisar ficar de pau duro. Aquela vozinha que você conhece tão bem acorda e diz: "Vai, é sua deixa, é agora ou nunca!" E a vozinha não vai embora mesmo depois de você perceber que a coisa está correndo bem. Ela grita ainda mais alto: "Não, não! Agora não, aguenta um pouco mais, não, não, NÃO!" Você se segura, você luta, e você termina sua missão, sem honra ou glória, esperando que a mulher não fique de cara feia no final. É isso.

E de repente você compreende que esse cara merece uma salva de palmas. Ou talvez apenas duas mãos entusiastas, batendo ritmadamente. As mesmas que você merecia quando saiu sozinha do escritório mais cedo. Somos todos heróis incompreendidos, superando obstáculos arriscados sem nunca receber uma medalha por isso.

O moreninho olha para você. Você sorri. Você acende um cigarro para ganhar coragem; você dá uma tragada e sente seu coração derreter.

— Sério isso? Pensei que tivesse parado de fumar!

Você se vira e percebe que sua amiga chegou, finalmente. O moreninho sente que está sobrando, e se afasta dignamente. Você hesita um pouco, mas decide deixar sua amiga sozinha. Não, você não vai dormir sozinha hoje.

ALMOÇO PÓS-SEXO

Vocês estão deitados um do lado do outro, recuperando o fôlego. Pois é — já faz tempo que você descobriu que o sexo cansa os homens. E você o aceita do jeito que está, nesse estado deplorável de animal pós-coito. Mas de repente você tem uma ideia genial. Você escapa para a cozinha. Abre a geladeira e improvisa com o que tem: um pouco de queijo, ovos, presunto cru. Você prepara uma omelete, bate os ovos, junta sal, pimenta e um pouquinho de leite. Com o fogo baixo, a manteiga derrete e você derrama toda a mistura na frigideira bem quente. Você põe o pão para tostar e abre uma garrafa de vinho tinto. Você se apressa, ele não pode cair no sono. Do lado do queijo Gruyère e do presunto, você coloca as torradas, uma taça de vinho e o prato esfumaçante. Dez minutos depois, eis você de volta ao quarto.

Você pousa a bandeja na cama.

Ele entreabre os olhos.

A vida é bela.

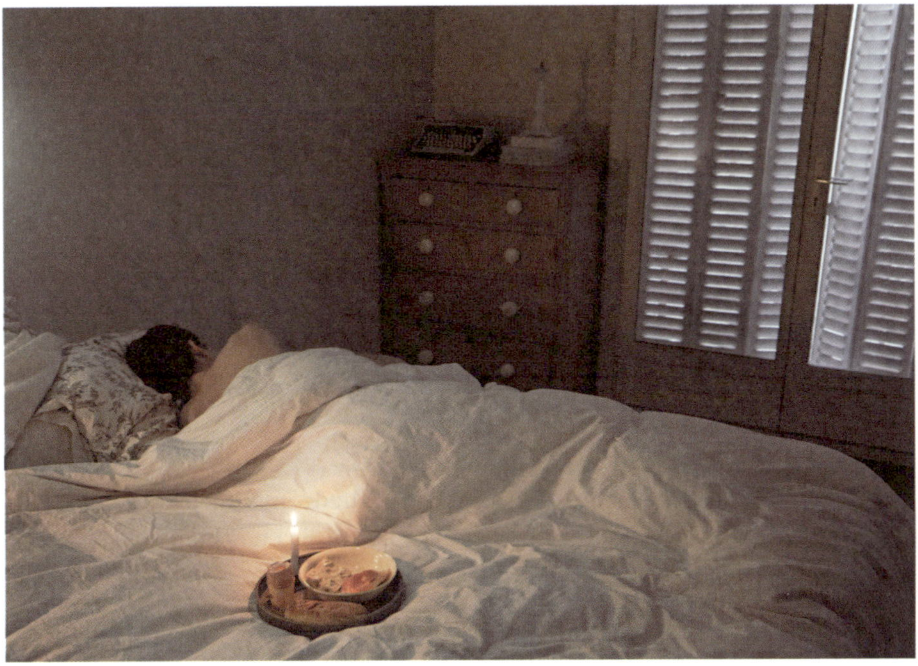

NUDEZ

Ainda que ver seios na televisão francesa seja algo corriqueiro, ainda que isso não choque ninguém há muitos, muitos anos, a parisiense permanece pudica em relação à própria nudez. Não é porque um francês pintou "*L'Origine du Monde*" — um quadro realista representando a parte da anatomia feminina por onde saem os bebês — há 150 anos que podemos andar nuas por todos os lados.

A nudez deve permanecer uma aparição. Como um jogo amoroso: nunca acontece por acaso, e não deve ser nem banal nem presumida. Ela *quer dizer* algo.

Dessa forma, quando você caminha nua, você se permite ser vista e o outro sabe que isso é intencional. Você provoca excitação. Mesmo se está com a mesma pessoa há muito tempo, você não fica desleixada, você mantém a postura. Você aprendeu a se conhecer, a lidar com suas particularidades.

Você não é mais a mesma mulher quando está nua: quem não gosta dos próprios quadris anda de lado, de costas para a parede, mas mostra os seios. Quem tem as pernas curtas ou a coxa grossa demais fica na ponta do pé. Quem não gosta dos próprios seios encara o bisturi. Mas enquanto isso, cruza os braços e, na cama, prefere as posições de costas.

Em suma, você não cultua o corpo perfeito, mas faz o melhor com o que a natureza lhe deu.

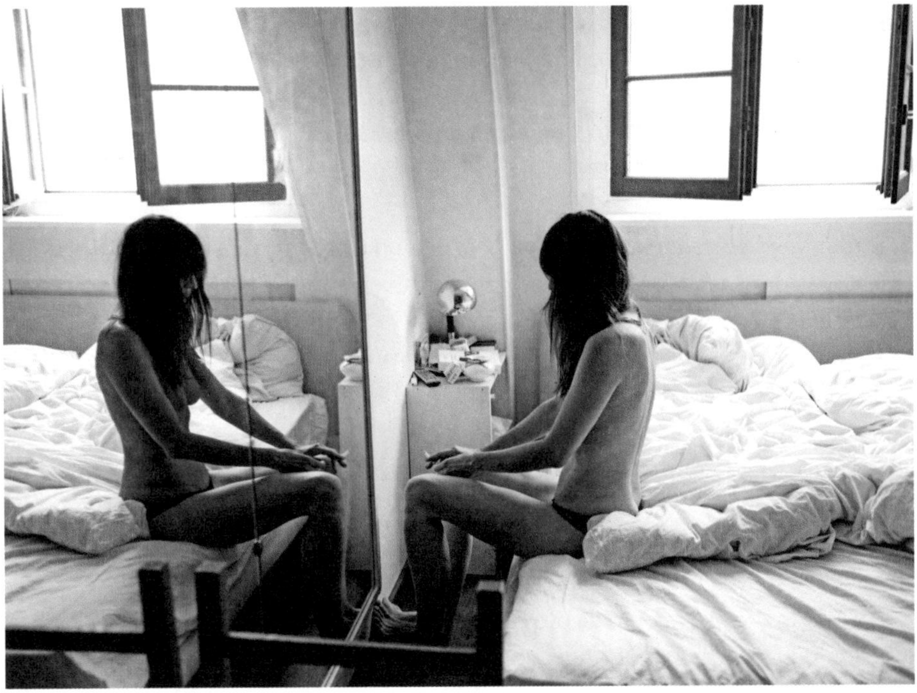

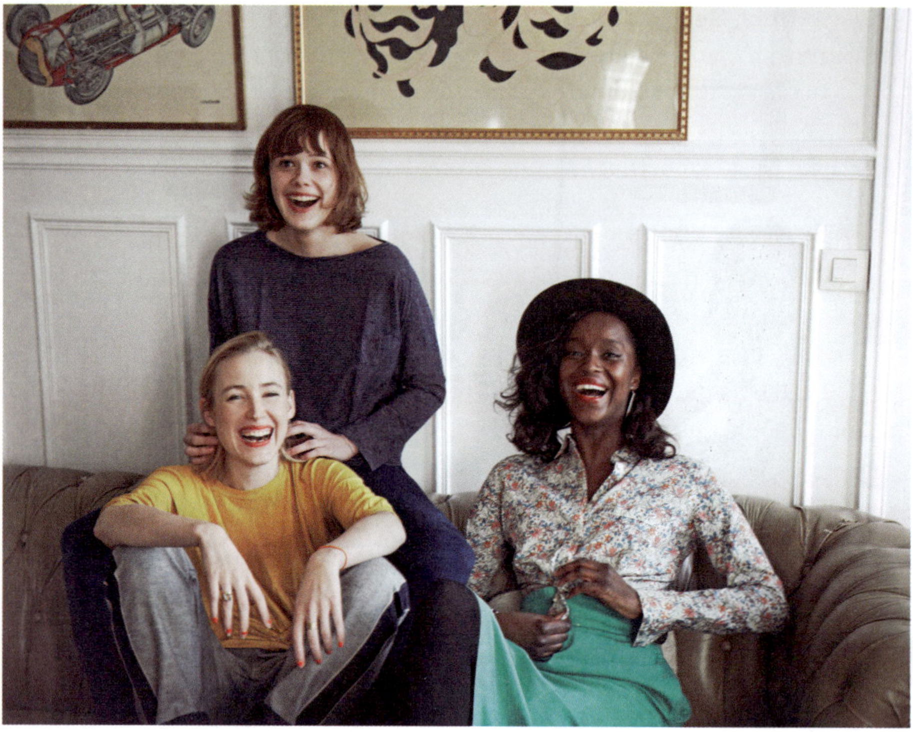

TURMA DE MENINAS

Vendo de fora, alguém pode pensar que as parisienses não se dão muito bem entre si. Porque, a priori, duas parisienses na mesma sala significa uma parisiense em excesso. No primeiro encontro, elas se olham de cima a baixo, se avaliam e se fuzilam com o olhar, dando à cena tons de um Velho Oeste moderno. Mas essa hostilidade nunca dura muito.

Difícil dizer se é por oportunismo, senso prático, um desdobramento do feminismo ou afinidade mesmo, mas o fato é que a parisiense sempre está em seu melhor estado quando está em grupo. Ela adora criar pequenos núcleos sólidos onde as qualidades de cada uma se agregam tanto e tão bem que o grupo em si torna-se muito mais desejável e sedutor do que um de seus membros isoladamente.

A parisiense, por mais autoconfiante que seja, entende que precisa de outras mulheres na sua vida. Amigas de infância que reencontra anos depois. Amigas de adolescência que testemunharam todas as suas primeiras vezes (primeiro beijo de língua, primeira vez que matou aula, primeiro bolo que levou, primeira vez, primeira pílula do dia seguinte). E, por último, as amigas-irmãs, aquelas com quem pode sempre contar. É a que bate na porta, de mala e cuia, quando acaba de levar um pé na bunda. É a que decide engravidar ao mesmo tempo, talvez pela impossibilidade de terem filhos umas com as outras.

A parisiense sem sua turma é uma mulher incompleta.

AQUELE HOMEM QUE NUNCA SERÁ SEU

Você conhece esse cara há muito tempo.

Você o acha gato. Divertido. *Bad boy* e mulherengo.

Você gostou dele de primeira.

Ele, por sua vez, adora você. Você é a única mulher que o entende. A única mulher de verdade. A única em quem ele vê graça. Enfim, a única de quem ele gosta, além da mãe dele, claro.

Tudo se encaixa perfeitamente, ao que parece. Entretanto, ele não te ama. Ele te adora, mas não é apaixonado por você.

Por mais estranho que isso possa parecer, apesar das suas inúmeras qualidades, dormir com você nem passa pela cabeça dele. Muito menos se casar. Ainda menos ter filhos. Ele sequer tem vontade de te beijar.

O sonho da sua mãe é que você case com ele: "Ele sem dúvida está apenas esperando que você tome uma atitude." Suas melhores amigas dizem que você tem que embebedá-lo para que ele perca a vergonha: "O problema é que ele é tímido!" Seu vizinho diz que você tem que aparecer nua na frente dele: "É o melhor teste para saber se ele é gay."

Mas ele não é tímido, nem gay, nem está sob o efeito de nenhuma bruxaria. Nã-nã-ni-nã-não. Ouça a voz da razão, porque as suas amigas parisienses não te vendem falsas ilusões: se nada aconteceu até agora, é porque *esse cara nunca vai querer nada com você*. É injusto e é impossível entender ou ser explicado. Mas é isso aí. Você está perdendo seu tempo. Vista de volta a sua roupa e parta para outra.

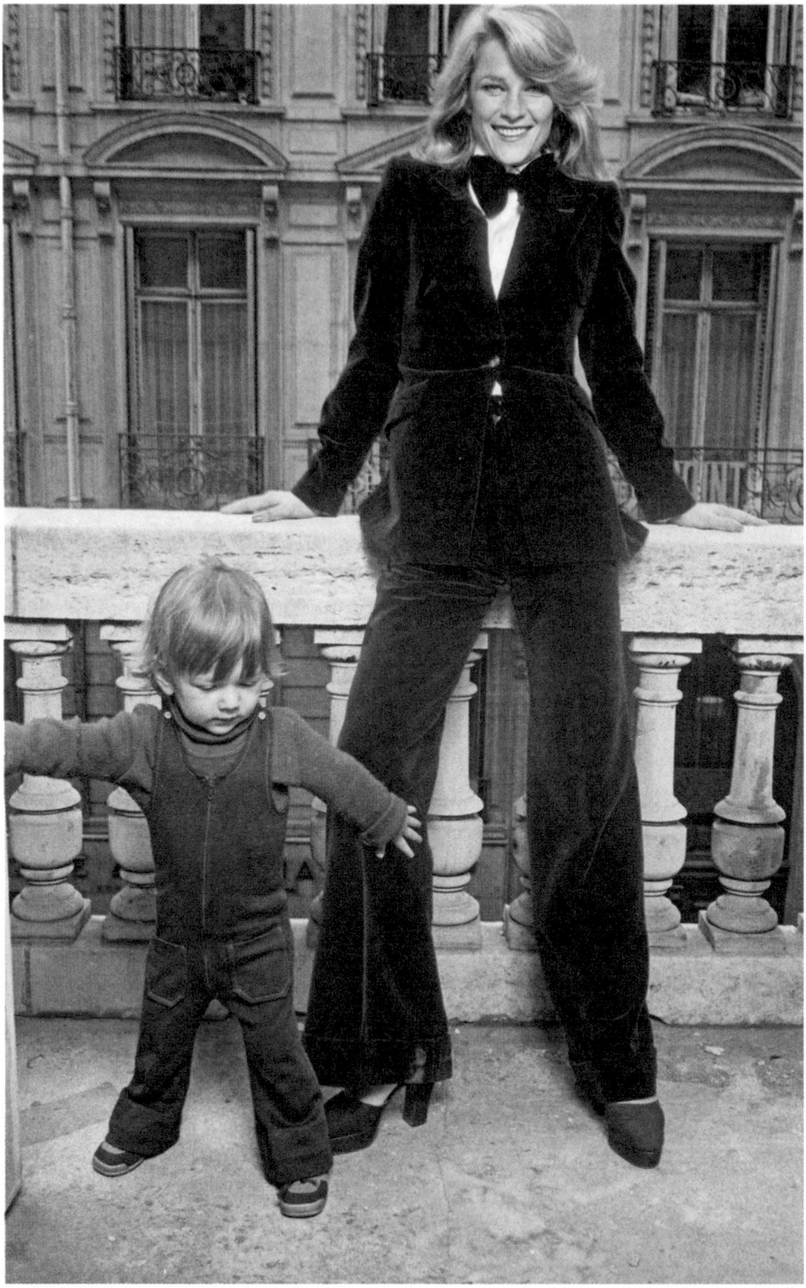

CASAMENTO À PARISIENSE

De acordo com as estatísticas, os parisienses se casam pouco. Ainda que o casal esteja junto há muitos anos, mesmo depois de ter filhos.

O casamento não é uma tradição na capital francesa, já que as parisienses preferem "se sentir livres", "não ter a necessidade de assinar um contrato como prova de amor", "não ter que jurar ser fiel para sempre, sem saber se poderão cumprir". Afinal, quem sabe o que o futuro reserva?

Dito isso, a verdade é que todas as parisienses sonham se casar. Por mais estranho que isso soe, o pensamento, o projeto, o sonho do "dia mais bonito de suas vidas" está permanentemente em suas mentes. Não podemos esquecer, no final das contas, que essa gente tem um gosto bizarro: consome escargots voluntariamente...

O PEDIDO DE CASAMENTO

Não é raro que a parisiense faça ela mesma o pedido de casamento. Ela, como todo mundo, quer que esse momento seja único e original. Mas, com medo de que seu futuro marido se engasgue ao engolir um anel escondido em um *macaron*, ela prefere uma mise-en-scène mais discreta.

— Qual é mesmo o seu segundo nome?

— Marcel e Jean, meus dois avôs, por quê?

— Eu estou no cartório. Estou reservando uma data de casamento. Quer dizer, por você tudo bem, né?

A CERIMONIALISTA

Mulher madura que é capaz de vestir-se por conta própria, ter filhos por conta própria, dizer "merda" aos pais por conta própria, enfrentar doenças, chefes, injustiças e mil outras responsabilidades, tudo sozinha, a parisiense não tem nenhuma vontade de ter uma louca frustrada atrás dela dizendo como deve organizar sua própria festa de casamento.

— Querida, você tem certeza que o dia 27 de dezembro é um dia bom para marcar o casamento?

— Tenho. Vai ser a única noite livre que a gente vai ter para passar com a família durante as férias de fim de ano...

— É, faz sentido...

DESPEDIDA DE SOLTEIRA

Na França, a tradicional "despedida de solteira" é chamada de *enterrement de vie de jeune fille* — algo como "enterro da vida de menina". Mas organizar uma dessas festas tradicionais é impensável: há muito que a parisiense não é mais uma menina. Ela não quer nem ouvir falar de viagens temáticas nos finais de semana, ritos de humilhação, fotos engraçadas ou passeios de limusine. Ela convida só os amigos mais próximos — homens e mulheres, já que seu melhor amigo pode ser um ex — para uma linda brasserie à moda antiga. Onde todos vão beber champanhe enquanto degustam frios refinados, *andouillette* A.A.A.A.A.[*] E ponto.

---

[*] Veja "15 palavrinhas essenciais".

— Um brinde à noiva!

— Tim-tim.

— Mas, afinal... por que você decidiu se casar?

— Porque é mais fácil, caso um dia eu decida me divorciar.

O VESTIDO DE CASAMENTO

Ficar parecendo um merengue estufado está fora de questão. A parisiense se casa de terno preto ou azul-marinho. Ou com um vestido *vintage*. Caso o casamento seja em pleno inverno, em um enorme casaco de pele branco. Ela sabe exatamente o que quer, e não monopoliza o precioso tempo das suas amigas para acompanhá-la nas compras.

— Caiu muito bem em você. É para alguma ocasião especial?

— Nada, só pro meu casamento.

ALIANÇA

A parisiense sonha com um anel simples, sem diamantes, nada muito chamativo. Um anel de família com valor sentimental serve perfeitamente. Ou um anel de cobre comprado por uma ninharia em uma viagem de carro que fez com o namorado. Ela não quer levar um susto quando subir na balança usando um diamante pesado e caríssimo.

— Você não pensa em usar sua aliança todos os dias?

— E depois disso vem o quê? Mudar o meu sobrenome? Vamos com calma.

— Mas por que você está se casando?

— Meu sonho é atender ao telefone e poder dizer: "Espera um pouco, vou chamar meu marido."

O LUGAR DO CASAMENTO

Em Paris. É claro. No cartório do bairro. Depois, a cerimônia religiosa, se for o caso. O brinde ocorre em um pequeno bistrô que ela conhece bem, em uma linda praça da capital. Nada de castelo em Lorraine nem de casa de campo alugada em Bourgogne. De noite, faz uma comemoração animada em seu pequeno apartamento, decorado para a ocasião com flores brancas. Ou seja, organiza uma festa memorável com todos os amigos e amigos de amigos. Encenações, músicas ensaiadas, projeções de vídeo e outros rituais de comemoração são absolutamente proibidos. Nesse dia, tudo deve ser improvisado — inclusive o discurso.

OS CONVIDADOS

Ela só convida as pessoas que realmente quer ver, ou seja, umas vinte pessoas. Primeiro, ela não tem como oferecer comida a todos que conhece, e ela não vê por que deveria pedir a seus pais ou sogros para ajudar a custear a festa. Melhor assim, porque isso a livra da obrigação de convidar seus pais e sogros. Isso é ainda mais conveniente se considerarmos que eles nem estão sabendo do casamento.

— Você se casou? Você nem nos avisou!

— Ora, e você convidou os seus pais quando casou com o papai?

— Eles já tinham morrido!

— Viu por que eu não te convidei? Você sempre quer chamar atenção para seu próprio sofrimento.

LUA DE MEL

Em vez da lua de mel clássica, a parisiense se dá de presente uma noite em algum hotel de luxo em Paris — Le Pavillon de la Reine, por exemplo, com vista para a Place des Vosges. O seu vestido secreto de casamento é a lingerie de seda que comprou. Ela chega em casa no dia seguinte, descalça, como uma verdadeira Cinderela. De mãos dadas com seu príncipe encantado.

QUARTOS SEPARADOS

Os casais não dormem mais em quartos separados, de forma geral. Há algumas décadas, nossos avós ainda dormiam dessa maneira, com seus corpos sabiamente separados por sólidas paredes e por certo pudor. Quando éramos crianças, esse hábito nos parecia esquisito e meio ultrapassado. Mas crescemos e descobrimos duas coisas: primeiro, que o casal às vezes precisa de espaço para preservar o amor. Segundo, que os aluguéis de hoje em dia não permitem que as pessoas tenham dois quartos para reviver essa tradição. O quarto separado tornou-se, portanto, uma ideia. Não se trata mais de criar dois espaços distintos para o homem e para a mulher, e sim de conseguir dormir separado às vezes para sentir saudade. De forma que, às vezes, forçamos uma situação. Decidimos viajar de repente no final de semana, ou perdemos a hora botando o papo em dia na casa de uma amiga, e decidimos passar a noite lá mesmo. Ou ainda, arranjamos uma viagem de trabalho. Arquitetamos essa obrigação profissional que nos separa por um tempo, e depois nos aproxima ainda mais. Um antídoto para a rotina. Tudo isso pelo prazer de receber uma ligação e ouvir: "Essa cama fica grande demais sem você."

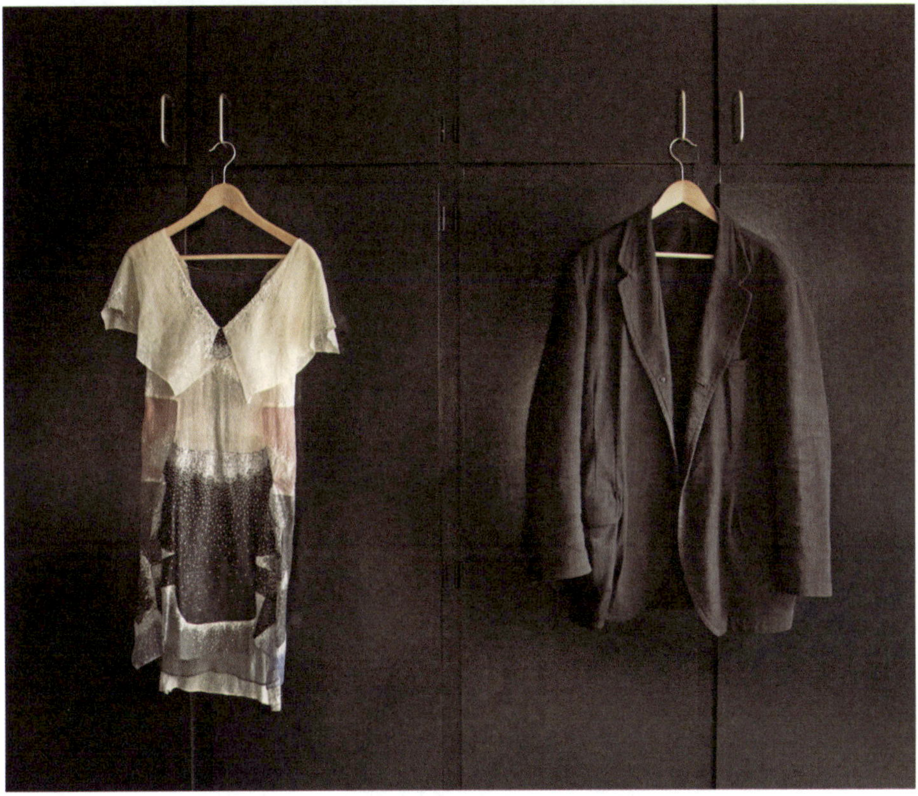

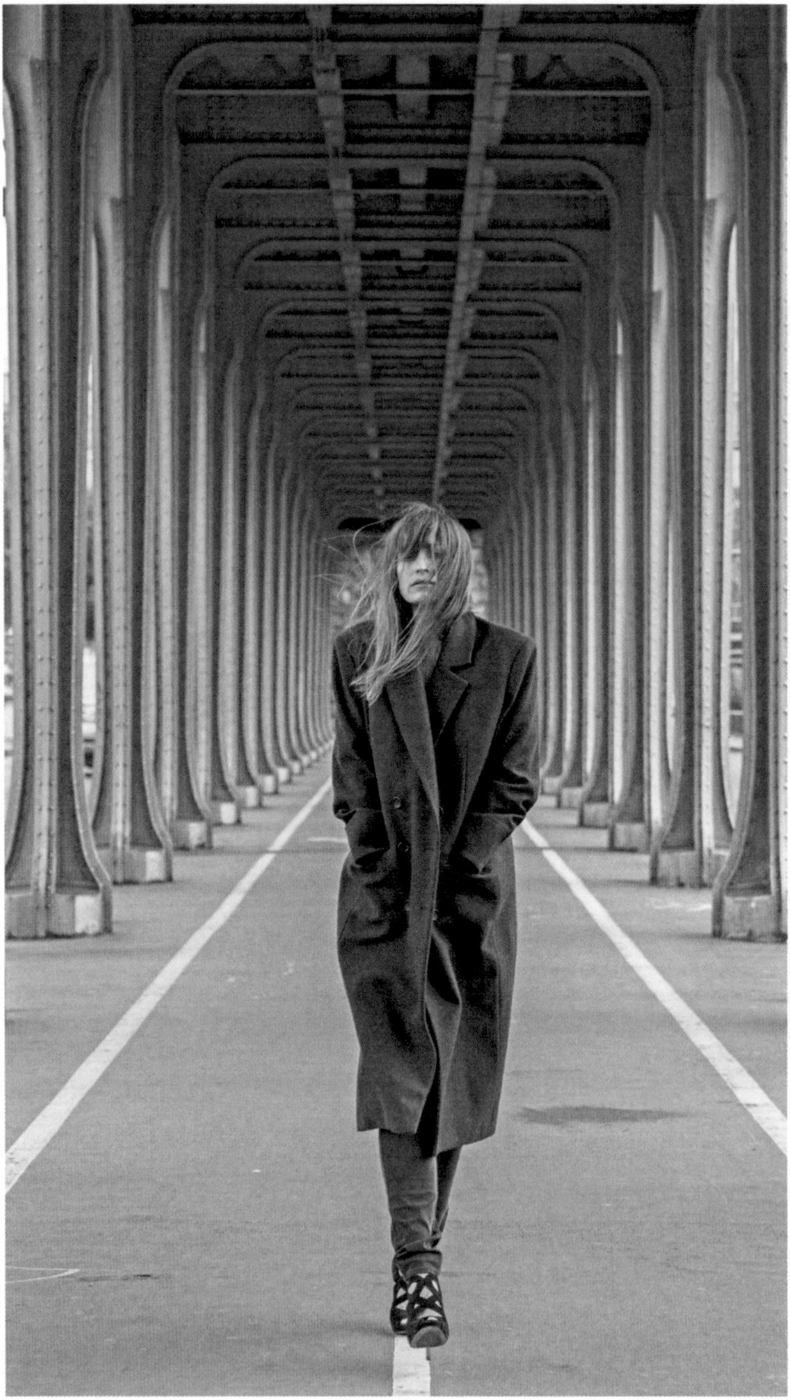

"Acredite na sorte, agarre a felicidade e encare os riscos. Com o tempo, eles se acostumarão com você."

— RENÉ CHAR, *ROUGEUR DES MATINAUX*

CENAS DA VIDA PARISIENSE — TAKE 4

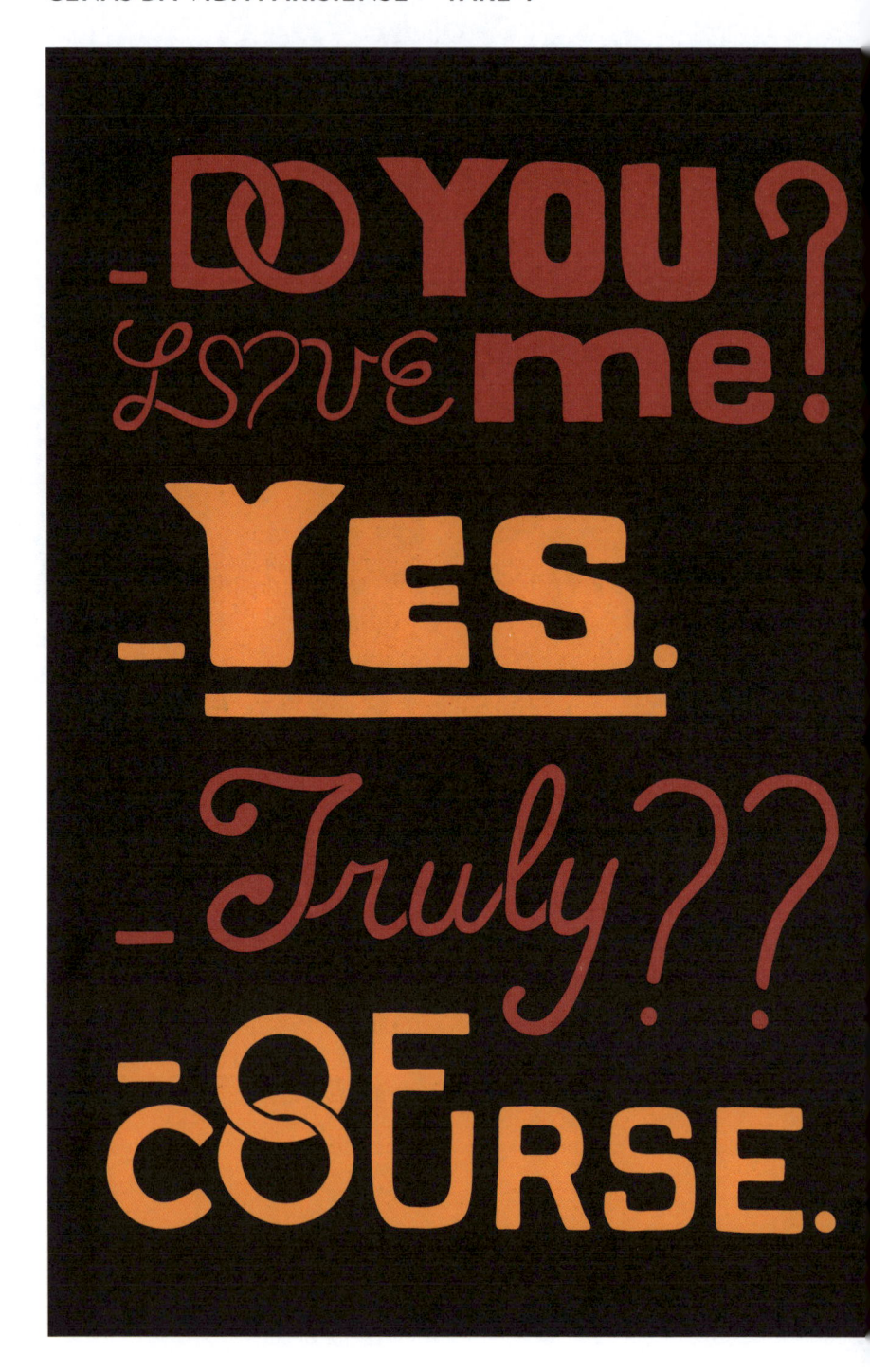

— DO YOU? LOVE me! YES. — Truly?? — OF COURSE.

- Você me ama?
- Amo.
- De verdade?
- Claro.

-FOREVER?
-YES *my Love.*
-EVEN When I'm OLD, FAT and UGLY?
-EVEN WHEN YOU'RE OLD, FAT AND UGLY.
-DIRTY LIAR.

- Para sempre?
- Sim, meu amor.
- Mesmo quando eu for velha, gorda e feia?
- Mesmo quando você for velha, gorda e feia.
- Mentiroso.

5
CONSELHOS PARISIENSES

Lista de afazeres

COMO PASSAR UM DIA PARISIENSE

Cumprimente o garçom do café embaixo do seu prédio com um beijinho antes de ir para o trabalho.

Não tome café da manhã.

Leia o jornal durante o almoço, já que de qualquer forma está almoçando sozinha.

Escute rádio na cozinha, preparando o jantar.

Beba pelo menos uma taça de vinho tinto entre 19h30 e 22h30.

Caso ouça algo interessante enquanto faz compras, anote no seu caderninho.

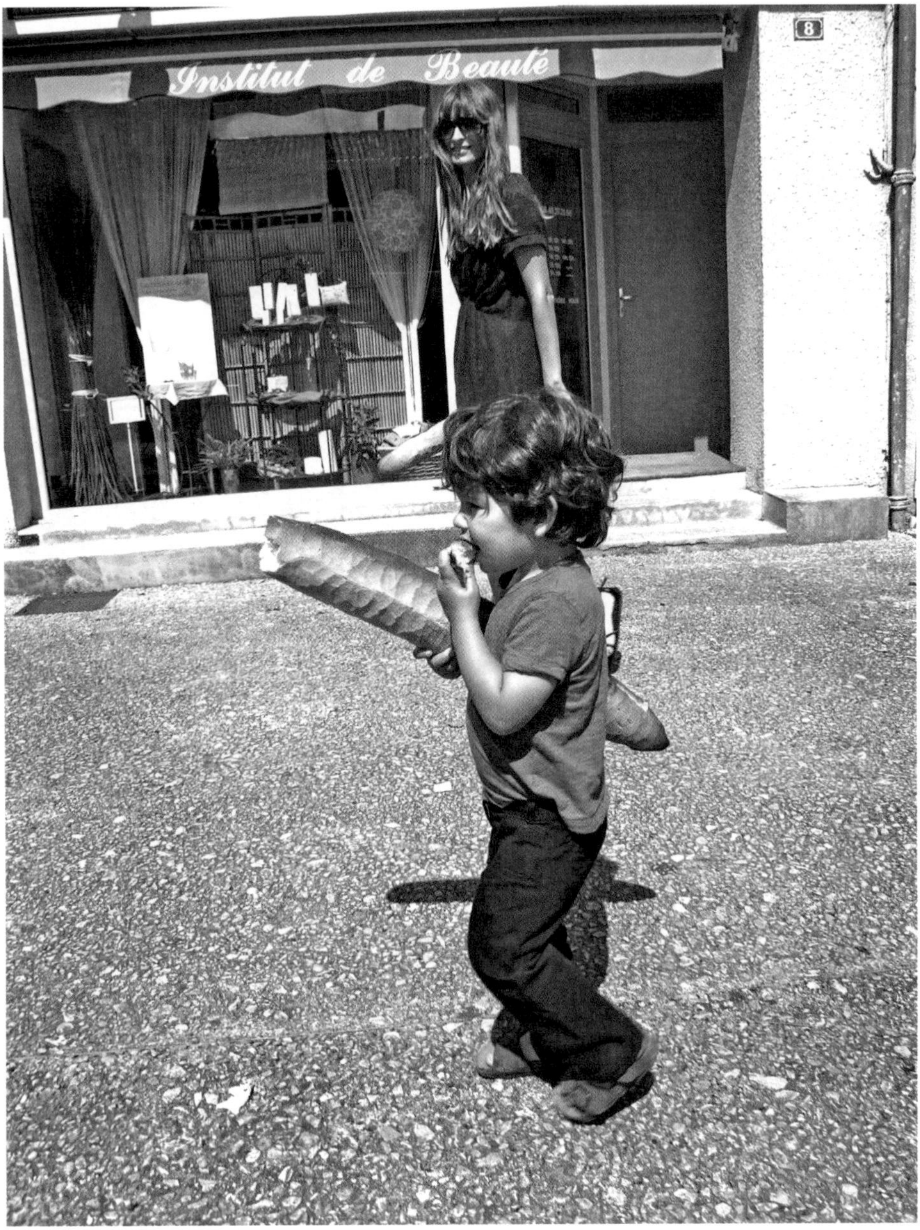
Institut de Beauté
8

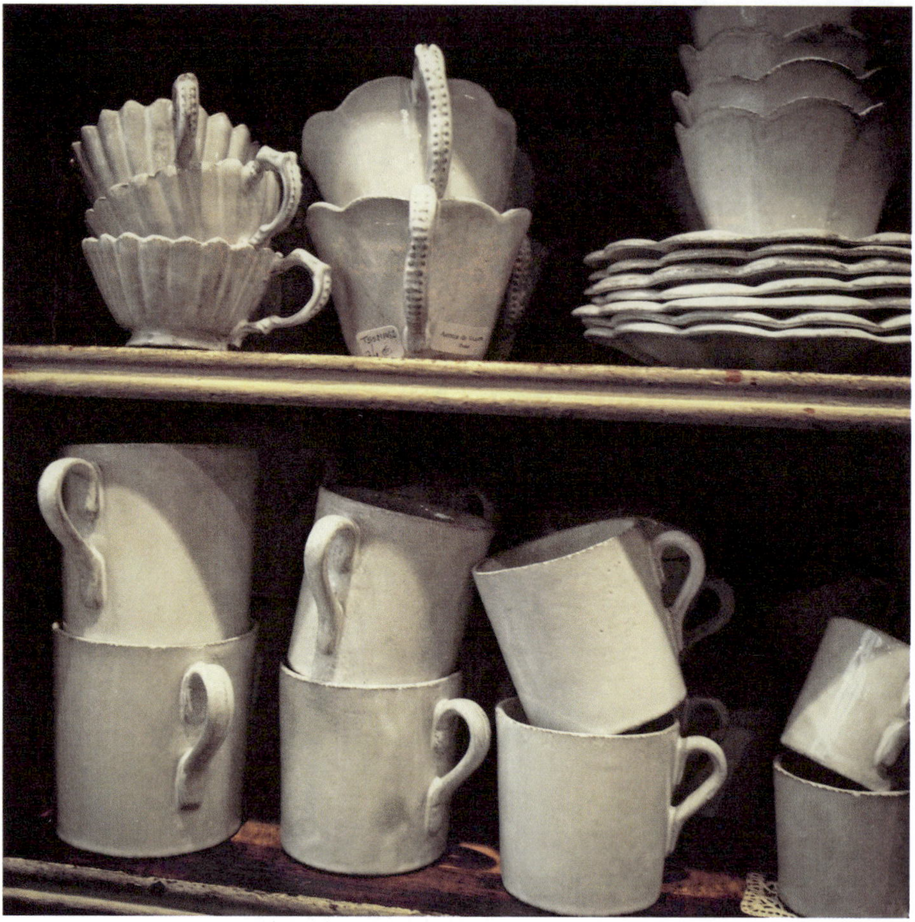

Antes de sair, passe perfume, principalmente na nuca e nos punhos.

Não troque de sapatos, mesmo que isso signifique que você terá que sofrer no metrô com seu salto de 10cm.

Troque todos os móveis de lugar.

Deixe para amanhã.

Descubra que está apaixonada, ainda que você pudesse jurar que isso não aconteceria nunca.

Vá dormir com todas as suas joias. Mas depois de ter tirado cuidadosamente a maquiagem.

COMO PASSAR UMA SEMANA PARISIENSE

Faça um bate e volta a trabalho no interior. Jure para si mesma que nunca vai morar lá.

Veja um filme antigo no sofá da sua melhor amiga. Mas não na cama dela. As parisienses se recusam a ter televisão no quarto.

Organize um jantar parisiense.

Fale com todo mundo no mesmo tom: com seus pais, com o taxista, com seu chefe, uma pessoa famosa que conheceu em uma festa, com o jornaleiro.

Vá a uma festa digna de sábado à noite em plena quarta-feira.

Dê-se ao luxo de comprar um lindo buquê de flores para decorar seu apartamento.

Falte a academia para ir beber com sua melhor amiga que acaba de levar um pé na bunda.

Conclua que é ótimo levar um pé na bunda porque se apaixonar novamente faz perder o apetite e, portanto, emagrecer. O que compensa a academia.

Vá ao psicanalista.

Venda um par de sapatos em um site de vendas na internet para pagar a consulta.

Reflita sobre a relação lacaniana entre seu complexo de Édipo e o fato de você ter vendido seus sapatos para pagar o psicanalista.

COMO PASSAR UM FIM DE SEMANA PARISIENSE

Prometa a si mesma que não vai sair sexta à noite porque precisa descansar.

Vá, ainda assim, tomar só uma cerveja, antes de ser arrastada para um restaurante e, no fim das contas, para uma boate.

Dê graças a Deus por sempre usar lingerie bonita, só para garantir.

Acorde sábado de manhã na mesma cama do seu melhor amigo, comece uma longa discussão sobre os "riscos", o "lado bom" e o "lado ruim", assim como as entrelinhas da situação.

Ou então: acorde no seu prédio, com a mesma vista da janela do seu quarto, só que um pouco mais de baixo. E se dê conta de que está na cama do vizinho de baixo.

Coma croissants e pão com manteiga porque, droga, é sábado de manhã e você bem que gastou um monte de calorias ontem à noite.

Aceite praticar (um pouco de) esporte, mas exclusivamente em lugares "bonitos": corra em um parque, nade em uma piscina considerada um ponto turístico.

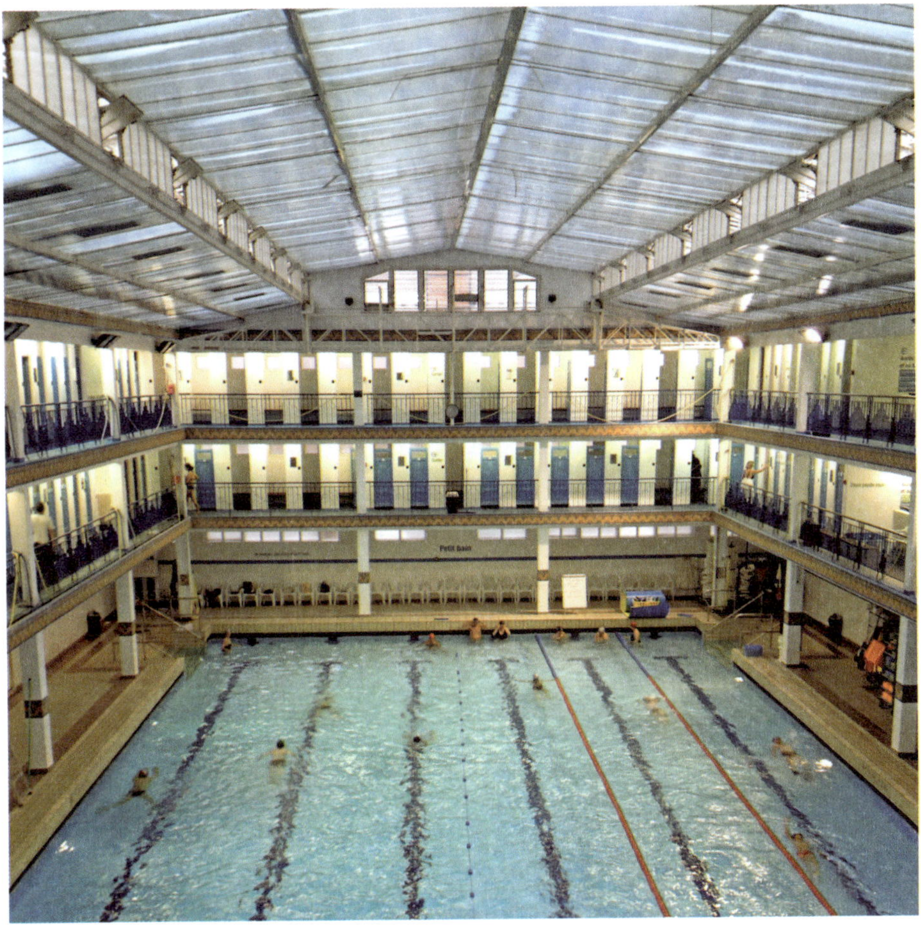
Petit bain

Vá à feira domingo de manhã com sua cesta de vime. Prepare um almoço maravilhoso, com legumes, pão fresco e manteiga com sal.

Tire um cochilo domingo à tarde, porque é bom demais. Ou na mesma hora da soneca das crianças ou com o namorado novo.

Vá jantar com os amigos para combater a deprê de domingo à noite.

Caso os amigos não possam ir, jante torradinhas com camembert e uma garrafa de um bom Bordeaux — também como medida contra a deprê de domingo à noite.

Prometa a si mesma que passará o próximo fim de semana fora da cidade.

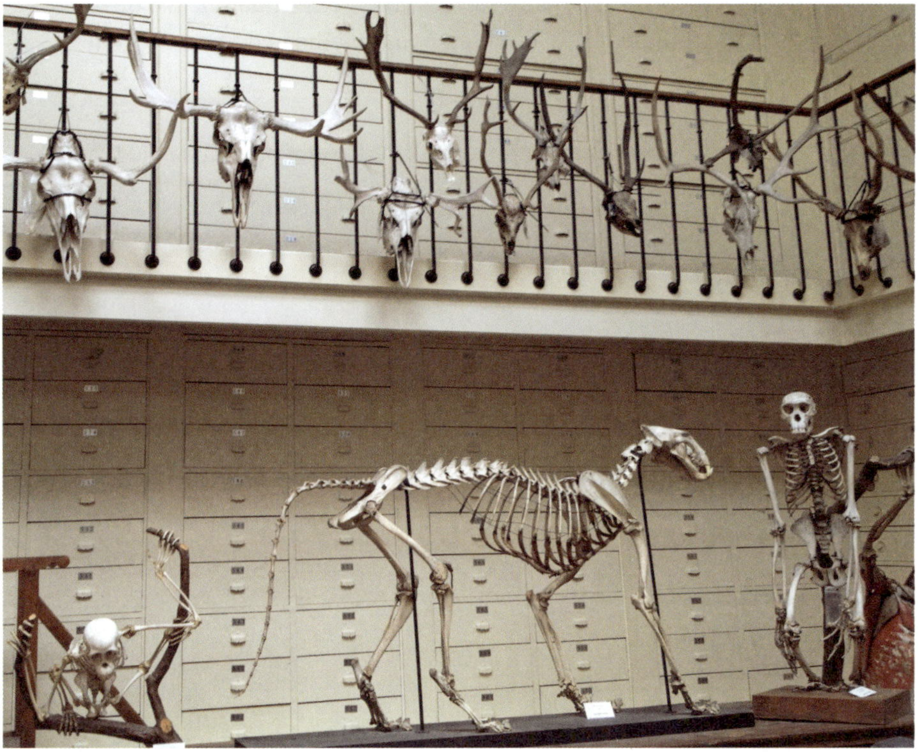

Para recortar

Leve sempre um pedaço de Paris com você.

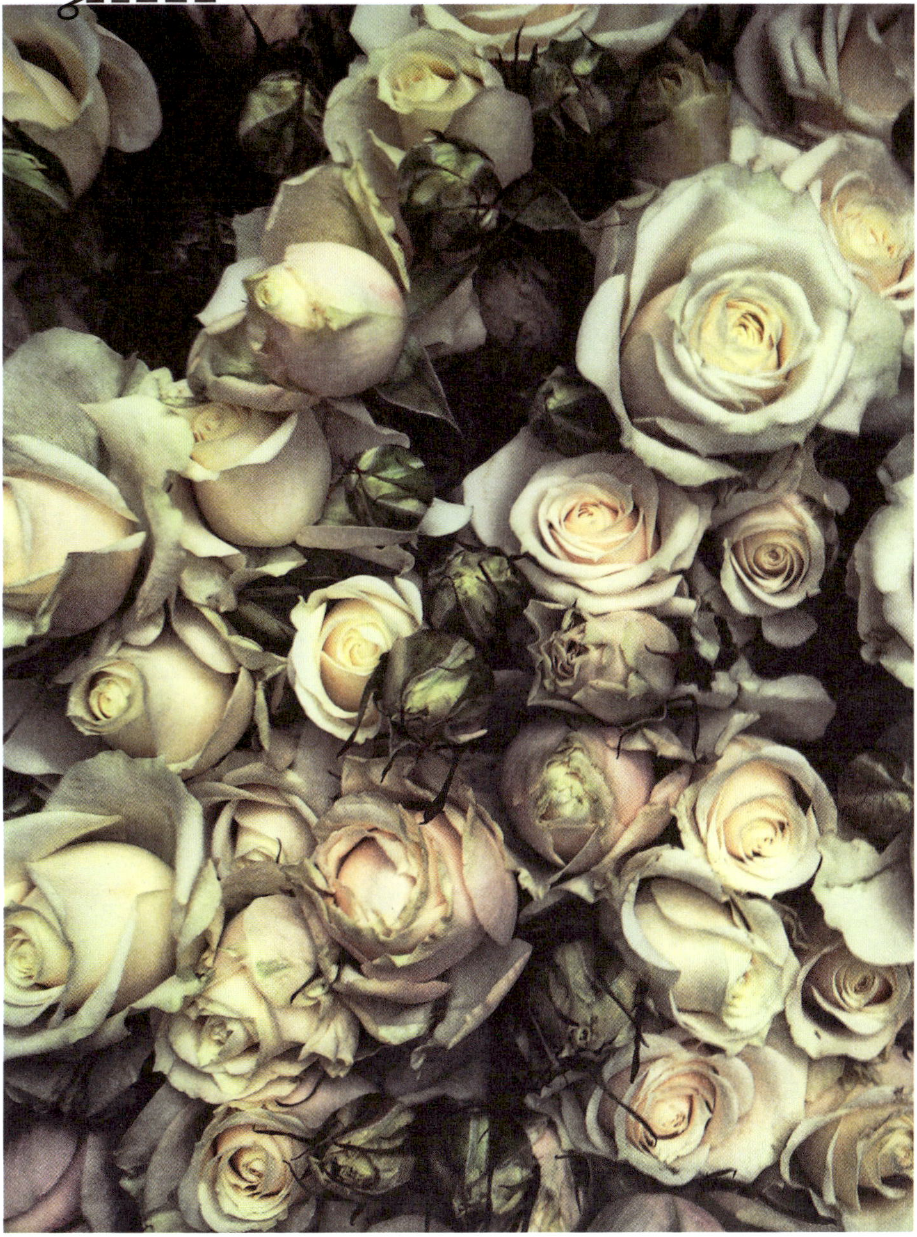

O
BÊ-Á-BÁ
DO ADULTÉRIO

Regra número um: NEGUE até a morte.

Não se sinta culpada. Faça tudo por você e não *contra* ele.

O que faz bem a você, faz bem ao casal. Você é apenas uma mulher atenciosa.

O seu amante não deve estar no círculo íntimo do casal. Você pode trair seu homem, mas você não deve pôr um par de chifres na cabeça dele. A honra dele é tão importante quando a satisfação dos seus desejos.

Grave o número do seu amante no celular como "número bloqueado".

Ou grave com o nome da sua melhor amiga (ela está passando por um momento complicado...).

Mentira tem perna curta. No fim, ele sempre vai acabar descobrindo. Nesse caso, lembre-se da regra número um.

Proteja-se: das doenças e do amor, que não deixa de ser uma doença.

Nunca fale mal do seu marido para o seu amante. Quem tem vontade de transar com a mulher de um babaca?

Nunca trate seu amante como se ele fosse seu marido.

E vire o jogo, espalhe o amor: traia o amante com o seu marido.

A arte do convencimento

Ajude-o a entender que você precisa dele.

Sim, você sabe abrir uma garrafa de Bordeaux sozinha.

Mas deixe que ele abra. A igualdade entre os sexos também passa por aí.

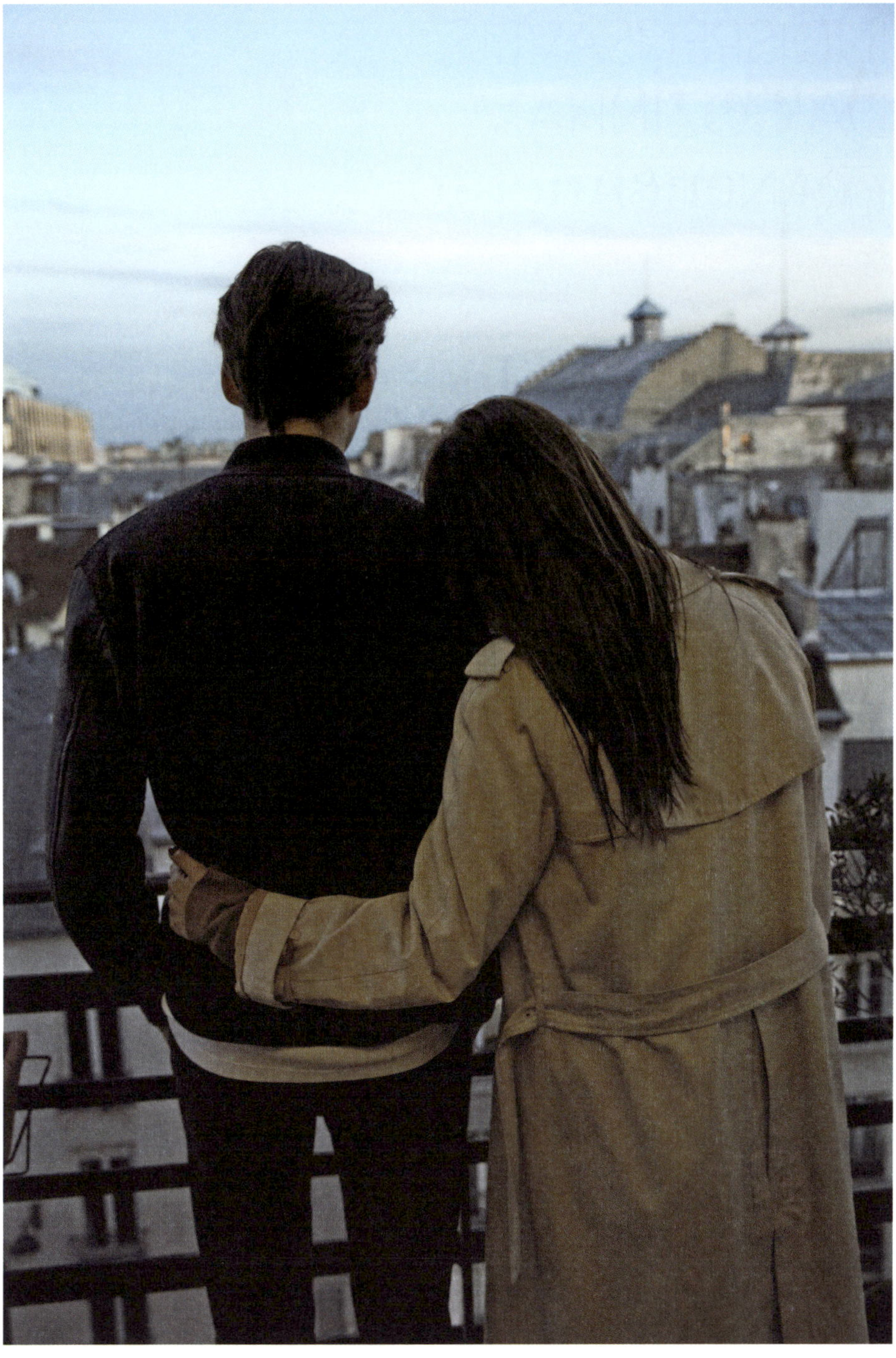

INDISPENSÁVEIS DA COZINHA FRANCESA

A parisiense adora os clássicos. E como ela não pode deixar que o jantar dê errado, utiliza alguns truques que não confessa para ninguém.

CREPES

Os crepes são a especialidade de uma região francesa chamada Bretanha. Mas todos os franceses preparam crepes para seus filhos no dia 2 de fevereiro, quando comemoram a *Chandeleur*, o equivalente à apresentação de Jesus ao templo. Respeita-se a tradição de virá-los na frigideira jogando-os para cima, já que é muito divertido vê-los caindo na cabeça de alguém.

Nas brasseries francesas, você vai encontrar uma variação do prato, os "Crepes Suzette", feitos com açúcar e laranja.

INGREDIENTES
250g de farinha
3 ovos
1 colher de sopa de óleo (vegetal, sem ser azeite)
3 colheres de sopa de açúcar (pode ser com baunilha)
1 pitada de sal
1 ou 2 colheres de sopa de água
½ litro de leite
½ copo de cerveja

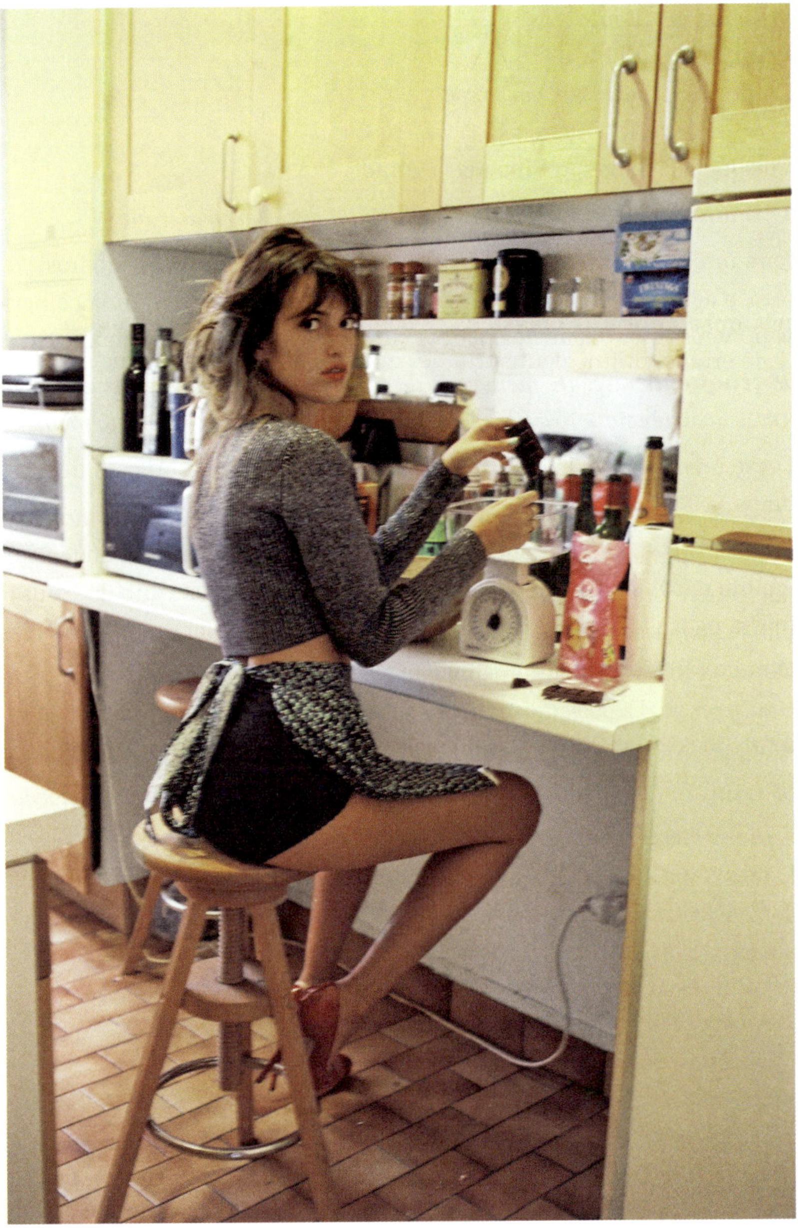

Para 4 pessoas
Preparação: 10 minutos
Repouso: 1 hora
Cozimento: 4 minutos por crepe

Coloque a farinha em uma tigela grande.

1º truque: *Para não encaroçar, a farinha deve ser peneirada.*

Abra um buraco no meio da farinha, onde colocará os ovos (inteiros), o óleo, o açúcar, o sal e a água. Misture bem, se possível com uma colher de pau. Acrescente o leite aos poucos, até que a massa fique homogênea.

2º truque: *Acrescente meio copo de cerveja à massa, o que a deixará com uma consistência maravilhosa (o álcool evapora com o calor do fogo).*

Deixe repousar por 1 hora coberto com um guardanapo ou com uma toalha limpa.

Depois, aqueça uma frigideira grande. Para untar, passe um pouco de óleo em um papel toalha e espalhe pela frigideira. Com uma concha, ponha a massa na frigideira. Ela deve ter de 2 a 4 milímetros de espessura.

Deixe na frigideira por aproximadamente 2 minutos de um lado, antes de virar o crepe. Depois, deixe mais 2 minutos do outro lado. Caso esteja se sentindo corajosa, vire-o jogando para cima. Senão, use uma espátula.

3º truque: *De acordo com a tradição, fazer isso segurando uma moeda em uma das mãos traz prosperidade para o lar.*

Está pronto! Comemos o crepe dobrado em dois ou em quatro, salpicado de açúcar, recheado de geleia, com creme de castanha, chantilly... como quiser.

ÎLES FLOTTANTES

Essa receita é tudo de bom. Fácil de preparar e LEVE. Muito agradável depois de um jantar um pouco pesado. É servida nas brasseries parisienses com calda de caramelo e lâminas de amêndoas.

INGREDIENTES
1 fava de baunilha
½ litro de leite
6 ovos, com claras e gemas separadas
160g de açúcar
1 colher de café de farinha
1 pitada de sal
Calda de caramelo (comprada pronta ou feita em casa).

Para 6-8 pessoas
Preparação: 20 minutos
Cozimento: 15 minutos
Repouso: 10 minutos
Tempo total: 45 minutos

Prepare o creme inglês. Esquente o leite com a fava de baunilha aberta no meio. Quando ferver, desligue o fogo e retire a fava.

1º truque: *Caso não tenha fava de baunilha (que custa caro), você pode substituir por uma colher de chá de essência de baunilha.*

Em outro recipiente, bata as gemas com a metade do açúcar (80g) até que a mistura fique esbranquiçada e com uma textura de mousse. Acrescente o leite quente e volte ao fogo, para engrossar a mistura.

2º truque: *Acrescente uma colher de café de farinha para que a massa fique um pouco mais espessa.*

Acrescente a farinha e mexa sem parar com uma colher de pau, para que o creme não ferva. Alguns minutos depois, quando a espuma branca desaparecer da superfície, retire do fogo. Deixe esfriar e coloque na geladeira. Enquanto isso, prepare as "ilhas".

Ferva 2 litros de água em uma panela. Bata as claras em neve com uma pitada de sal. Quando ficarem consistentes, adicione aos poucos, sem parar de bater, 30g de açúcar. Com duas colheres de sopa, forme pequenas bolas com as claras e coloque-as delicadamente na água. Cada uma levará entre 1 e 2 minutos para cozinhar. Quando as claras estiverem duras, mas antes de ficarem secas, retire-as com uma escumadeira e coloque-as em um prato coberto com papel toalha.

Coloque o creme inglês em potinhos e, por cima, 2 ou 3 dessas bolinhas.

Decore com calda de caramelo e estará pronto para servir.

3º truque: *Caso seja você mesma que faça a calda de caramelo, utilize 1½ colher de sopa de açúcar (30g) para cada colher de água. E uma esguichada generosa de limão. Quando começar a escurecer, pingue algumas gotas de vinagre, para não queimar.*

MAIONESE

Segundo a tradição, uma mulher menstruada não deve nunca preparar maionese... a conferir. Maionese feita em casa é uma delícia, um luxo, a ser degustada com um simples ovo cozido, legumes crocantes ou frutos do mar.

INGREDIENTES
1 gema
1 colher de sopa de mostarda forte
1 fio de vinagre (ou de limão)
¼ xícara de óleo (vegetal, sem ser azeite)
Sal e pimenta moídos na hora

Preparação: 10 minutos

Em uma tigela grande, misture a gema, um pouco de sal, pimenta e a mostarda. Acrescente o óleo aos poucos, batendo sem parar com uma batedeira elétrica. Para que a consistência fique perfeita, isso deve ser feito bem devagar; deve-se sentir a mistura engrossar pouco a pouco. Depois, acrescente o vinagre (ou o limão). Agora, você pode temperar a maionese com noz-moscada, páprica, ou quem sabe até com açafrão.

1º truque: *Você deve retirar os ingredientes da geladeira com antecedência, para que fiquem em temperatura ambiente.*

2º truque: *A maionese pode ser conservada na geladeira por 24 horas, quando coberta com um papel filme que "toque" em toda a superfície da maionese. Mas nunca a consuma mais de 24 horas depois.*

MOLHO VINAGRETE

São tantas receitas, tantas variantes, cada um com a sua. Há os que usam mostarda granulada, à moda antiga; os que usam molho de soja (shoyu), ou até um pouco de açúcar. Os que temperam com cebola picadinha. E os que utilizam apenas vinagre balsâmico. O que importa, no final das contas, é respeitar a ordem dos ingredientes.

INGREDIENTES
Sal
1 dose de vinagre
1 dose de água
2 doses de óleo
Pimenta

Misture todos os ingredientes em uma tigela.

O truque: *Primeiro, o sal, depois o vinagre, a água, o óleo e, finalmente, a pimenta. Obedeça a ordem!*

Depois, sinta-se livre para criar: salsa, cebolinha, wasabi...

ARRUMAR UMA MESA

Para montar uma linda mesa de jantar, não é necessário investir em prataria ou em um jogo de jantar completo. Fica vetada qualquer decoração temática (bolinhos decorados em cima da mesa, confetes, coisas penduradas nas paredes ou nas portas etc.) — não é uma festa à fantasia. A mesa deve ser arrumada de forma simples. Não é preciso que todos os elementos combinem, pelo contrário, eles podem ser desparelhados, de segunda mão, comprados em brechós ou pela internet.

Não tem problema se cada taça for de um tipo, mas elas precisam todas ser transparentes (nada colorido).

Para os guardanapos, aqueles de pano com iniciais bordadas são uma graça. E não custam quase nada nos sites de venda da internet, ou emprestados das gavetas da casa da sua avó.

Eles não devem ser dobrados como um origami, e sim postos em cima ou embaixo dos pratos.

É comum nas mesas parisienses vermos facas *Laguiole*, que é o nome de uma cidade francesa especializada em facas. Elas são reconhecíveis pelo pequeno inseto desenhado na lâmina.

Você vai precisar de uma toalha, naturalmente, a não ser que sua mesa seja de uma madeira muito bonita. Os lençóis de linho das nossas avós viram toalhas maravilhosas. Elas podem ser brancas ou tingidas.

Em cima da mesa, uma garrafa de vinho aberta e uma jarra d'água (nada de jarra de plástico). Caso não tenha um saleiro, coloque o sal em dois potinhos e deixe um em cada extremidade da mesa. Os enormes moedores de madeira para pimenta, alcunhados *Rubirosa* em homenagem a um playboy dominicano, são o que há de melhor.

POT-POURRI

* Um cartão-postal de uma viagem de férias. Seja mostrando a praia deserta em Formentera ou a Villa Malaparte, em Capri.

* Um artigo recortado do jornal — com um título engraçado.

* Uma foto de um filme cult, cortada de um livro ou de uma revista.

* Fotos. Fotos de você mesma (nada muito vaidoso, do tipo "olha como sou linda"). Uma foto de você criança, uma foto sua um pouco fora de foco, ou uma série de fotos 3x4 em preto e branco.

* Ingressos de filmes que você adorou.

* Ingressos de exposições que você adorou.

* Convites para a despedida de solteira da sua melhor amiga.

* Objetos que te fazem sorrir (ingressos de shows, cartões-postais que você conseguiu aqui e ali).

* A sua carteira de identidade antiga ou a sua carteira de motorista vencida.

* Uma citação, um poema, uma carta escrita à mão que te emociona.

* Uma foto em preto e branco que você comprou em alguma feirinha de antiguidades ou que pertencia à sua família.

* Conchinhas recolhidas de lugares diferentes.

* Objetos da sua vida que te acompanham e que afagam seu coração quando você olha para eles, já que representam a sua história.

CAVALHEIRISMO

Ser feminista e adorar ser cortejada não é necessariamente contraditório, muito pelo contrário. Prestar atenção, esforçar-se: não é assim tão difícil, e faz muita diferença. Que alegria, um pouco de graça e atenção nesse mundo de brutos! Ao cultivar seu cavalheirismo, o homem torna-se mais homem e a mulher, mais mulher.

E, portanto, é normal quando:

Ele segura a porta para você.

Ele leva suas compras e a sua mala. Uma mulher deve levar apenas sua bolsa.

Ele serve sua bebida. Você nunca deveria ter que tocar na garrafa. Isso é conveniente, ele deixará você altinha mais rápido.

Ele a leva em casa e espera até que entre. Mesmo que ele tenha sugerido que gostaria de subir, e você não tenha convidado. Deixá-lo esperando, um pouco, nunca fez mal a ninguém.

ILUMINAÇÃO

Criar a iluminação do seu apartamento é mais importante do que ter o melhor sofá ou pintar uma parede com a cor da moda. Em geral, a decoração e a vida do apartamento giram em torno da luz do dia. É ela que dita a organização do seu lar e regula a pulsação de sua casa.

Pense na luz do mesmo modo como você se maquia: suavize os contornos. A luz neon fica, portanto, banida. Exceto como objeto de decoração. A ideia é criar um ambiente acolhedor e romântico, com a ajuda de diversos pontos luminosos. E separar os ambientes.

Planta do apartamento:

Na cozinha: cômodo estratégico, quase uma sala para a parisiense. Caso haja espaço, crie dois ambientes: um para refeições, com uma luz suave, estratégica, para conversar e seduzir; outro para cozinhar, com uma bancada bem iluminada, onde se possa preparar um pernil de cordeiro sem cortar o dedo.

Na sala: você aprende a desenhar os cantos, para ampliar o espaço. Você não coloca uma luminária enorme no meio do teto, mas ilumina o ambiente com várias lâmpadas pequenas. A não ser que tenha herdado da sua avó um lustre maravilhoso, que você adornará com várias lâmpadas de baixa tensão. Você pode também espalhar algumas velas, aqui e ali. Mas nunca, jamais na mesa de centro. A última coisa que você quer é que seu rosto seja iluminado por uma luz de baixo para cima, o que ressalta suas olheiras e faz com que a sombra do seu nariz pareça um bigodinho.

No quarto: a luz deve ser suave. Nada daquela luminária de teto que acentua as curvas e a celulite. Os únicos pontos de luz devem ser perto do seu armário e para leitura, nunca forte demais, para não fazer mal aos olhos.

O banheiro: seu melhor amigo. Ele não pode desmoralizar você: escolha uma luz lisonjeira, mentirosa até, que lhe assegure que tudo vai bem.

NOITE DE JOGOS

Em Paris, não há cassinos — a lei proíbe. Ainda assim, os parisienses adoram jogar quando se encontram, é uma verdadeira tradição. Jogam, normalmente, em volta de uma mesa, depois de um jantar ou quando encontram os amigos para beber (quanto mais pessoas melhor).

INSTRUÇÕES

"Eu nunca" (à moda francesa)

Número de jogadores: 2, no mínimo
Material: 2 copos cheios, a serem bebidos com ou sem moderação

O primeiro a jogar diz algo que nunca teria coragem de fazer. Por exemplo: "Eu nunca... transei com um desconhecido." Caso seja verdade, ele não faz nada. Caso seja mentira, ele bebe um gole (de água, ou não), o que significa que ele está mentindo. Os outros jogadores devem fazer o mesmo. Ou seja, beber um gole caso tenham feito o ato supracitado. Depois, é a vez da pessoa ao lado, que deve também dizer um "eu nunca"... E assim por diante.

Em geral, a coisa esquenta bem rápido.

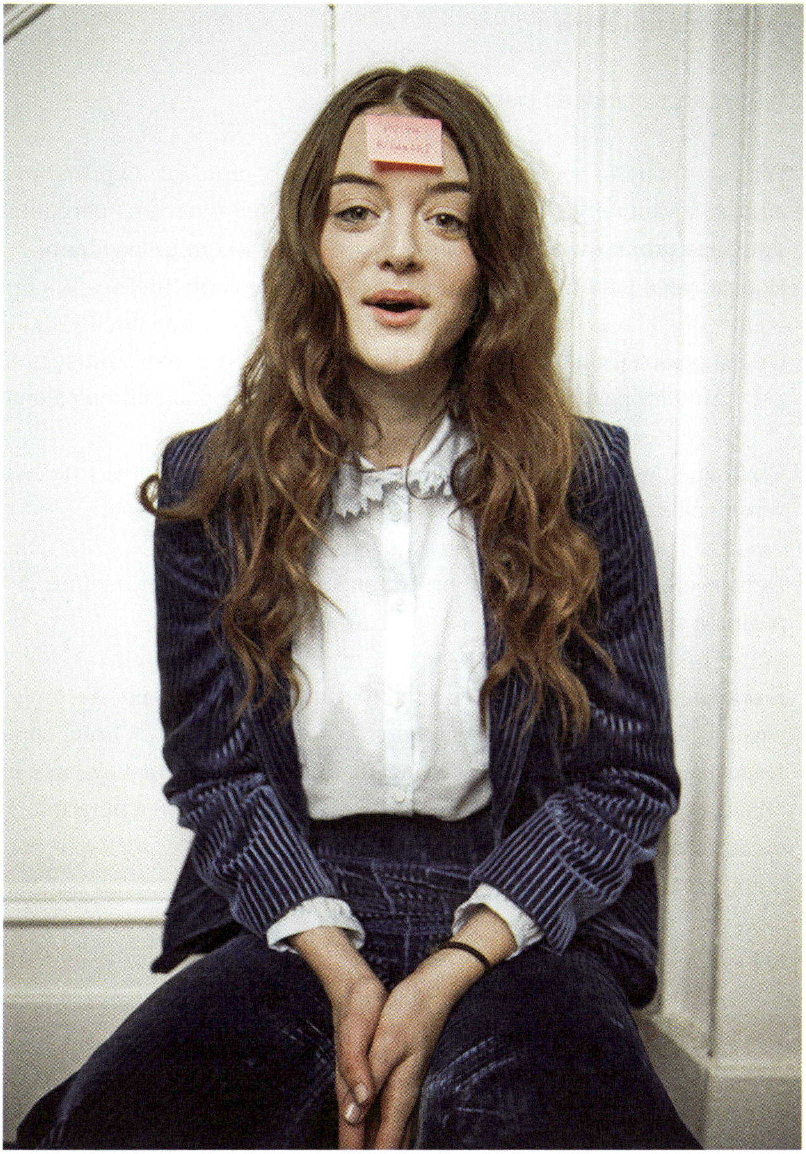

"O jogo do livro"

Número de jogadores: 2, no mínimo
Material: um livro

É uma brincadeira de clarividência.

Pega-se um livro, pode ser ficção ou não ficção, tanto faz. O primeiro a jogar se levanta e pede para um dos participantes fazer uma pergunta sobre sua própria vida, como se estivesse falando com uma vidente. Depois, pede para a pessoa escolher: "Do início ou do fim?"

Caso a pessoa escolha "do início", o jogador folheia o livro, começando pela primeira página. Caso escolha "do fim", inicia pela última página.

Quando a pessoa que fez a pergunta disser "para", as páginas que estiverem abertas assim continuarão.

Depois, ele deve ainda escolher: "direita ou esquerda" para definir a página a ser lida.

E então escolhe um número de 1 a 30. Caso escolha 14, por exemplo, o jogador deverá ler em voz alta a linha 14 daquela página. A linha contém a resposta para a pergunta. A mensagem, quase sempre enigmática, é então analisada por todos os participantes. E recomeça-se com a pergunta de outra pessoa.

"Dicionário"

Número de jogadores: 4, no mínimo
Material: papel, canetas e um dicionário

O primeiro jogador escolhe uma palavra obscura no dicionário, que provavelmente ninguém conhecerá.

Ele a soletra em voz alta. Os outros jogadores devem então inventar o significado e escrevê-lo em uma folha, com o jargão de dicionário. O jogador que escolheu a palavra reúne todas as definições, inclusive a verdadeira, escrita por ele em uma folha. Depois, ele lê todas elas, sem que ninguém saiba quem escreveu qual.

Os jogadores devem então votar, um de cada vez, na definição que acreditam ser a verdadeira.

Caso alguém tenha adivinhado o significado certo, ganha um ponto. O jogador que escreveu a definição mais votada recebe dois pontos. O vencedor é o que, no final do jogo, tiver somado mais pontos.

"O jogo do livro de ficção"

Número de jogadores: 4, no mínimo
Material: papel, canetas e vários livros de ficção

Funciona quase da mesma forma que o jogo do dicionário. Pega-se um livro e lê-se a primeira frase. Os jogadores devem inventar a última frase.

Pequenos luxos essenciais

A parisiense gasta dinheiro da mesma forma que faz regime: quanto mais rígida ela for consigo mesma, mais vezes ela sai totalmente da linha. Então ela decide abrir uma exceção merecida, considerando que precisa de qualquer maneira de um dos objetos inúteis desta lista:

* Um buquê de lírios brancos. Ela adora presentear-se com flores.

* Um livro antigo. É exatamente a mesma história que está em uma edição mais recente, mas o prazer de ler é completamente diferente.

* Uma bandeja de ouriços-do-mar. Apesar de serem muito baratos no sul da França, eles custam uma pequena fortuna em Paris, o que lhes confere um sabor especial.

* Aqueles óculos escuros enormes, para esconder os olhos cansados das noites viradas.

* Uma massagem com óleos essenciais. Porque isso não é exatamente um luxo, e sim uma despesa médica.

* Um objeto raro encontrado à venda na internet, oportunidade única de compra.

* Uma noite romântica em um hotel. O amor não tem preço.

* Uma linda vela. Faz você se sentir em um hotel, mesmo estando em casa. Ainda mais porque passar a noite em um hotel dificilmente caberia no seu orçamento.

* Um conjunto de lingerie de renda. Ou, talvez, só um sutiã... Embaixo, ela se vira.

Receitas de domingo

As parisienses adoram ir à feira no final de semana, para comprar produtos frescos e não processados.

Conheça algumas receitas de domingo — quando temos coisas demais para fazer que ficar mais de cinco minutos na cozinha!

ASPARGOS COM PARMESÃO / PARA UM DOMINGO DE PRIMAVERA

    Belos aspargos (4 por pessoa)
    Azeite de oliva
    Queijo parmesão ralado na hora
    Suco de limão (opcional)
    Sal e pimenta moídos na hora

    Preparação: 5 minutos
    Cozimento: 15 minutos

- Preaqueça o forno a 220ºC.
- Lave os aspargos e corte a ponta dura na base do talo. Coloque-os em uma travessa coberta com papel-alumínio, e passe um fio de azeite de oliva por cada um. Deixe assar por 15 minutos no forno quente. Com papel toalha, absorva o azeite. Esprema suco de limão sobre os aspargos (caso queira usar) e salpique o parmesão ralado. Tempere com sal e pimenta. Sirva morno.

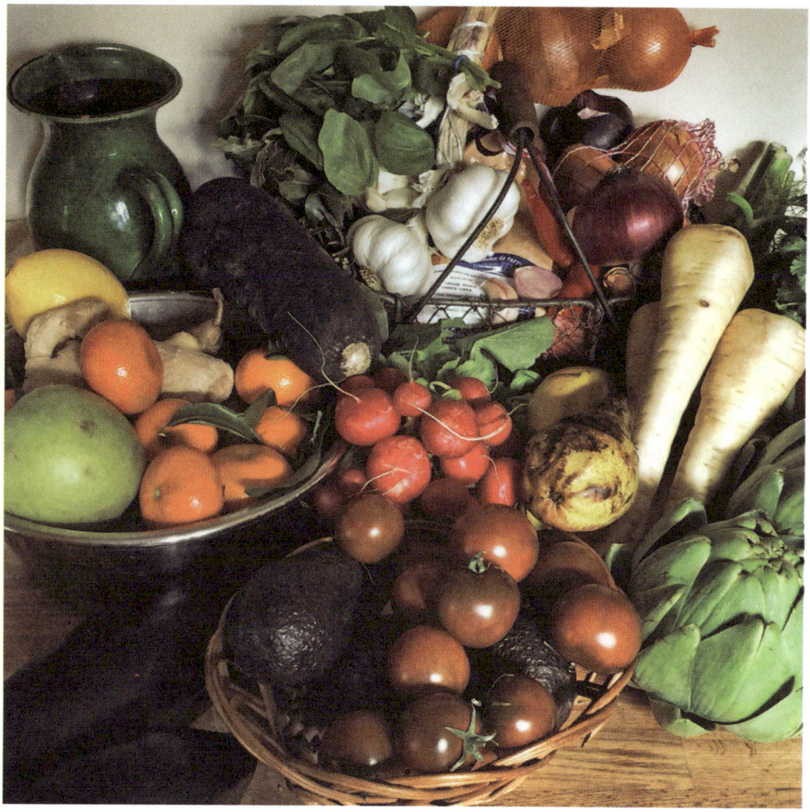

CAVIAR DE BERINJELA / PARA UM DOMINGO DE INVERNO

2 belas berinjelas
½ chalota picada (ou 1 cebola pequena)
2 colheres de sopa de suco de limão
½ colher de café de sal
Pimenta (4 giros no moedor)
Azeite de oliva

Para 4 pessoas
Preparação: 5 minutos
Cozimento: 25 minutos

- Preaqueça o forno a 210°C.
- Coloque as berinjelas inteiras, recém-lavadas, em um tabuleiro untado com óleo. Deixe-as assar por aproximadamente 25 minutos até que elas estejam macias.
- Retire as berinjelas do forno e deixe esfriar.
- Separe a polpa da casca com uma colher e coloque-a em um recipiente com meia chalota. Acrescente azeite e limão. Misture até que a berinjela tenha absorvido todo o azeite e a mistura tenha a consistência de um purê macio. Tempere com sal e pimenta. Sirva como aperitivo ou como acompanhamento de um prato de carne.

MAÇÃ ASSADA / PARA UM DOMINGO DE OUTONO

1 maçã por pessoa, de preferência de um tipo mais firme e ácido

Preparação: 5 minutos
Cozimento: 25 minutos

- Preaqueça o forno a 200°C.
- Lave as maçãs, retire a parte das sementes, no miolo, e coloque-as no forno em um tabuleiro com uma fina lâmina de água no fundo.

- Quando a casca das maçãs rachar, e o miolo da fruta começar a transbordar, tire do forno e sirva (o tempo de cozimento depende do tamanho das maçãs, mas costuma ser de aproximadamente 30 minutos).
- Não acrescente açúcar, caso queira usar como acompanhamento para carnes ou linguiças saborosas.
- Caso queira servi-las como sobremesa, preencha o furo no meio delas (o que ficou depois que retirou as sementes) com mel e suco de limão, antes de colocá-las no forno. Assim que estiverem prontas, tire-as do forno e imediatamente salpique um pouco de açúcar, para que caramelize.
- Sirva ainda morno, com sorvete ou creme inglês.

SOPA DE CENOURA E ERVILHA / PARA UM DOMINGO DE INVERNO

1 lata de cenouras com ervilha
Wasabi

Para duas pessoas
Preparação: 5 minutos
Cozimento: 10 minutos

- Separe as cenouras das ervilhas. Faça um purê com as cenouras.
- Misture as ervilhas e a água da lata para fazer uma sopa.
- Esquente os dois separadamente.
- Passe o purê de cenoura para um pote grande e fundo. Ele deve ficar como uma ilha no meio do pote.
- Depois, derrame a sopa de ervilha ao redor da ilha.
- Faça bolinhas de wasabi, em forma de ervilha, e arrume-os na borda do pote.

Segredos dos campos (nunca esquecemos nossas origens)

Paris, terra do exílio e da boa aventurança, é uma cidade de misturas. Se consultarmos as árvores genealógicas, a maior parte dos parisienses vem de fora. Exalam essências dos campos da Bretanha ou do litoral de Orã, na Argélia — fruto das sucessivas imigrações que enriquecem a cidade. Ouvem-se os ecos dos que vêm do Extremo Oriente ou da África.

Os segredos murmurados ao pé do ouvido são o legado que a família transmitiu, de geração em geração. Conselhos de beleza, de culinária, de cuidados com o lar: a parisiense adora lançar mão desses truques tradicionais para recordar que ela não é apenas uma flor do asfalto.

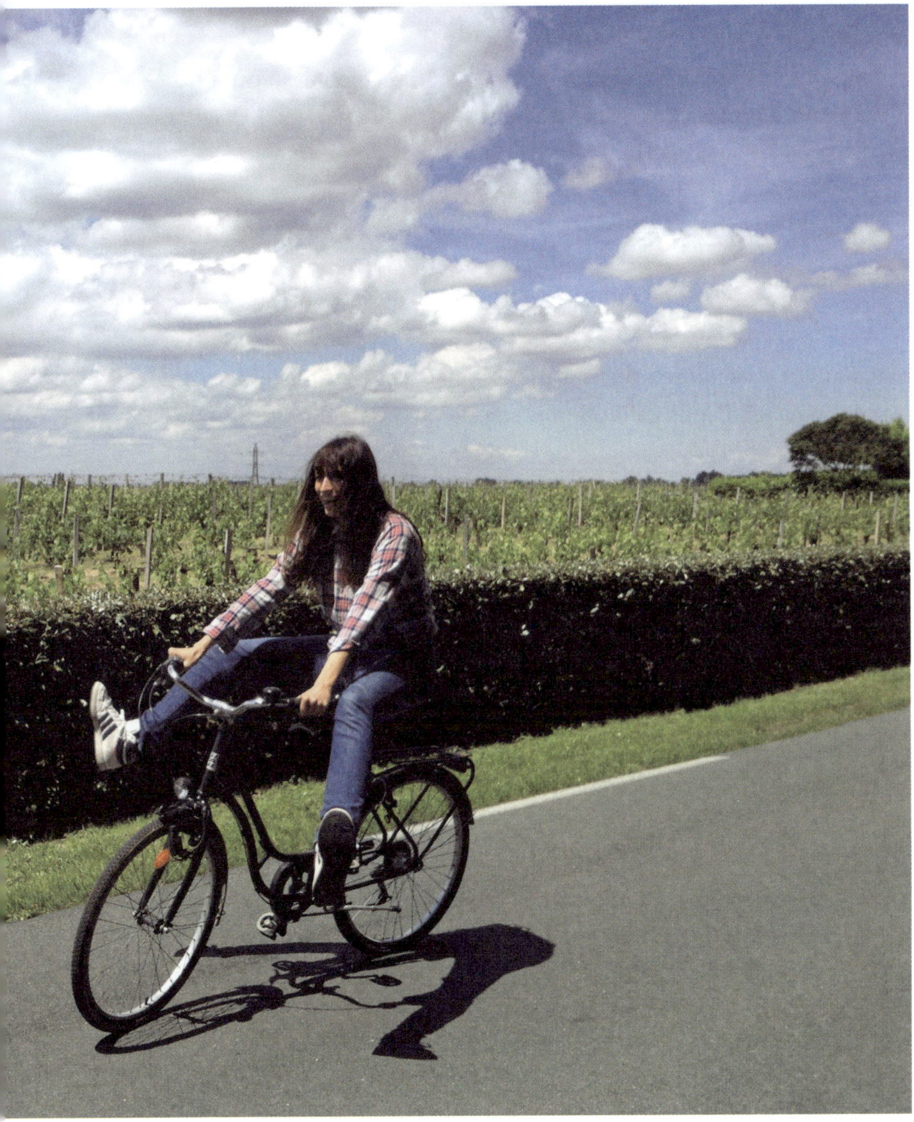

* Não se joga o pó de café no lixo. E sim na pia. Ele limpa a gordura do encanamento e acaba com os maus cheiros.

* Um pouco de aspirina na água das rosas faz com que elas durem mais tempo.

* Sapatos novos e escorregadios. As profissionais da passarela riscam as solas com uma faca. Mas esfregar metade de uma batata crua também funciona.

* Para que os cabelos brilhem: meio copo de vinagre de vinho branco na última água que usar para enxaguar o cabelo.

* Pele, cabelos, unhas: todos gostam de cerveja. Não a que tem álcool e dá barriga. Mas o levedo de cerveja, que a gente salpica nas saladas, nas carnes, nos legumes... e que substitui o sal.

* Rum, mel, gemas de ovo e suco de limão: não é receita de bolo, mas uma máscara para o cabelo.

* Uma pedra-pomes no banho, para lixar os pés uma vez por semana, no mínimo. Eles ficarão sempre macios.

* Na farmácia, compre por uma mixaria um óleo de amêndoas doces (da linha para bebês) e não deixe faltar jamais: ele hidrata a pele do corpo, as mãos. Use, use sempre.

* Depois de todo banho, passe água fria nos seios.

* Na cozinha, depois de espremer limão, esfregue o bagaço nas unhas antes de jogar no lixo: as deixa fortes e claras.

* Uma vez por semana, escove os dentes com bicarbonato de sódio. Efeito clareador garantido.

* Jornal é perfeito para limpar azulejos. Mais ecológico que papel toalha.

* De manhã, substituímos o pão por torradinhas. E para que elas não quebrem quando for passar manteiga, empilhe uma por cima da outra.

QUANDO VOCÊ VÊ ESTES FILMES, ESTÁ EM PARIS

De acordo com seu humor

Caso queira certificar-se de que os franceses, de fato, só conversam sobre sexo (mesmo com os pais), e explorar a capital com um americano prestes a romper com sua *girlfriend* parisiense, veja **2 dias em Paris,** de Julie Delpy. Sim, os parisienses são mesmo todos loucos. (A tal ponto?)

Você viu quarenta vezes **Um americano em Paris,** de Vicente Minnelli, já que é louca por comédias musicais. Eis uma que conta as aventuras amorosas da juventude de hoje em dia. Feche a boca para não babar pelo lindo Louis Garrel em **As canções de amor,** de Christophe Honoré.

Entregue-se a essa Paris em preto e branco pós-maio de 68, onde o mais importante, depois da política, é, sem dúvida, o amor. Seus meandros, suas crises, suas alegrias. Encontros e separações em **Os amantes constantes,** de Philippe Garrel.

Você está apaixonada por um colega de trabalho — não importa qual. Ele não apenas é seu estagiário, mas também acaba de sair da cadeia. Naturalmente, nenhum amor é impossível em Paris... **Sur mes lèvres,** de Jacques Audiard.

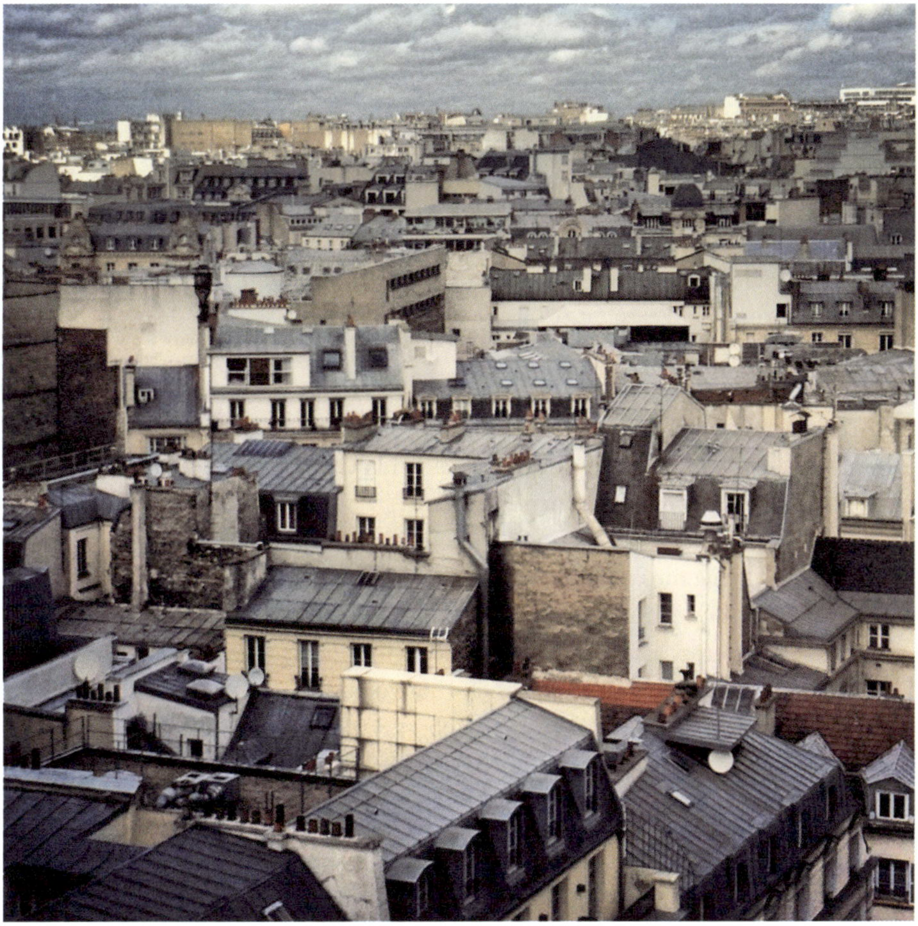

Para acompanhar a vida de uma turma de estudantes adolescentes por 15 anos, as brigas, as traições, as drogas e o fim dos ideais dos anos 1970... junte-se à **Idade perigosa,** de Cédric Klapisch. Todo mundo já se apaixonou pela professora de inglês, eles também.

Acompanhe as intrigas de um escritor sedutor e comunicativo, que decide agitar a vida para escrever um romance. Nos bares e cafés enfumaçados de Paris, ele escolhe sua presa, uma jovem, em **A discreta intimidade de uma mulher,** de Christian Vincent. Uma delícia de perversidade literária e cinematográfica.

Você vai se apaixonar por esses dois irmãos, perfeitos *losers*, bons de papo e festeiros, que são o protótipo do macho parisiense: tão irresistíveis quanto esquivos... Sim, vivemos em **Um mundo sem piedade,** de Eric Rochant.

Como todos sabem, a mais parisiense das atrizes francesas é Catherine Deneuve. Se quiser descobrir um capítulo negro da história de Paris, ocupada pelos alemães durante a Segunda Guerra Mundial, não perca **O último metrô,** de François Truffaut.

Para rir suavemente do "espírito francês" em todo seu esplendor, com os homens que amam as mulheres que amam os homens que traem suas mulheres. E, de passagem, descobrir a Place de la Concorde e o 16º *arrondissement* de Paris nos anos 1960, o que você precisa é de **O doce perfume do adultério,** de Yves Robert. *Vintage*.

Se está pensativa diante da sua geladeira e do pouco de manteiga que te resta, dance **O último tango em Paris,** de Bernardo Bertolucci (só se for adulta e vacinada). Com Marlon Brando, ninguém escapa do amor.

Se está dividida entre seu marido e seu amante, faça como Romy Schneider e torne-os amigos. **Cesar e Rosalie**, de Claude Sautet, uma ideia do ménage à trois à francesa.

Por quem a americana Jean Seberg se apaixona quando está vendendo o *Herald Tribune* na Champs Elysées? Para descobrir, reserve um tempo para **Acossado**, de Jean-Luc Godard — por sinal, o maior filme da célebre Nouvelle Vague.

Se às vezes você se imagina andando nas ruas de Paris em um tailleur com um corte perfeito; se você é apaixonada pela noite dessa cidade, suas calçadas iluminadas e suas lâmpadas amarelas; se você vibra com a música de Miles Davis; se você tem um amante que acaba de fazer uma enorme besteira: é porque você é Jeanne Moreau dirigida por Louis Malle em **Ascensor para o cadafalso.**

Você quer se infiltrar na Paris decadente dos anos 1930: deixe-se guiar pelos meandros do Canal Saint-Martin e seu **Hôtel du nord**, de Marcel Carné. Prepare seu lencinho para esse clássico em preto e branco.

CENAS DA VIDA PARISIENSE — TAKE 5

> _Do you know **WHO** that is?
>
> _OBVIOUSLY.
>
> _**S**he's **GORGEOUS** Don't you think?
>
> _YES AND SHE KNOWS IT.

- Você sabe quem ela é?
- Claro...
- Ela é bonita, você não acha?
- Muito, e ela sabe disso.

- She's an ACTRESS
- an *OUT OF WORK* ACTRESS.
- I'm invited to her PARTY on saturday night.
- OH... Can I come?

- Ela é uma atriz.
- Uma atriz desempregada.
- Ela me convidou para uma festa na casa dela no sábado.
- Ah... Posso ir?

"Quando trabalhamos para agradar os outros, não é possível ter sucesso, mas quando fazemos as coisas para satisfazer a nós mesmos, podemos acabar atraindo o interesse de alguém."

— MARCEL PROUST, *PASTICHES ET MÉLANGES*

15 palavrinhas essenciais

AAAA

O parisiense (e os franceses, de forma geral) é adepto de alimentos aparentemente nojentos, com aspectos semelhantes a coisas que o pudor nos impede de nomear aqui. A *andouillette* é um exemplo perfeito. A sua "pele" é feita com o tubo digestivo do porco, deixando-a com uma aparência de uma linguiça grossa e gorda. É uma mistura de carne de veado e de porco, temperada com pimentas e vinho. Um prato de lamber os dedos, que é precedido no cardápio dos restaurantes pela sigla AAAA, que significa: *Association amicale des amateurs d'andouillette authentique*, ou seja, Associação amigável dos amantes das *andouillettes* autênticas. Vá em frente, sem medo, você não vai se arrepender.

LA BISE

Os franceses fazem *la bise* quando se encontram e quando se despedem. Ou seja, eles dão beijinhos, mas não de qualquer maneira. Para dar os beijinhos da forma certa, as pessoas aproximam as bochechas uma da outra e emitem o som de um beijo com a boca. Depois, repetem o gesto do outro lado. O número de beijinhos muda em cada região da França. Enquanto no sul da França as pessoas dão quatro beijinhos, na Bretanha são apenas três. Em Paris, nunca mais de dois. Lembre: nunca dê um abraço na parisiense. Aproximar os rostos cumprindo o ritual da *bise*, ok. Mas com o corpo sempre afastado.

CARNET

As parisienses não escrevem diários, nem contam segredos para um amigo imaginário. Elas sabem que os diários sempre acabam sendo lidos pela última pessoa que os deveria ler. Nunca deixe vestígios. Por outro lado, as parisienses sempre carregam um caderninho, de preferência um Moleskine preto, no qual anotam todo tipo de coisas. Ideias que passam pela sua cabeça, passagens de livros que gostaram, uma lista de coisas a fazer, palavras preferidas, a letra de uma música que querem entender melhor, o celular de uma pessoa que conheceram em um café, o sonho da noite anterior que lembraram de repente...

CAMEMBERT

É um clichê, mas é verdade: todos os parisienses comem queijo. O tempo todo. Alguns gostam de começar o dia com um pedaço de Gruyère, outros gostam de uma torrada com queijo de cabra como lanche da tarde, e tem ainda os que consideram que a melhor forma de terminar o dia é com um pouco de camembert e uma taça de vinho tinto. Mas cuidado. O queijo é uma arte, principalmente o camembert. Ele deve ser comprado de preferência em uma loja especializada. Mas os parisienses mais esnobes farão o seguinte: comprarão um prato de queijos na melhor queijaria de Paris, mas comprarão o camembert no supermercado, da marca Le Petit. O camembert deve ser comido molengo, ou seja, com o recheio descolando da casca. Os mais durinhos serão recusados sem segunda chance.

PROVINCE

A França é separada em duas categorias. Paris e Province. O que é Province? Tudo o que não é Paris.

PISCINE

Os parisienses bebem muito champanhe. Eles sabem que essa bebida azedinha, com borbulhas, é inimiga dos eventos sociais. Dá um hálito horrível, especialmente quando combinado com *petits fours* (devorados avidamente para acalmar a fome). Por isso, as parisienses inventaram o conceito da "piscine", que consiste em mergulhar alguns cubos de gelo na taça de champanhe. Isso controla a acidez no estômago e, por consequência, o mau hálito. É a cereja em cima do bolo. Essa bebida é considerada um sacrilégio pela maior parte das pessoas "normais" e justamente por isso ressalta o esnobismo dos moradores de Paris, que adoram ser conhecidos por sua falta de educação.

VIN ROUGE

Não existe nenhum francês que não beba vinho tinto. Mas, é claro, eles têm uma forma bem parisiense de fazê-lo. Primeiro, escolhem seu vinho preferido. Isso é muito importante. É preciso poder dizer: "Eu só bebo Bordeaux, Saint-Emilion de preferência" ou "Você nunca vai me convencer a tomar um Côte du Rhône!". Depois, nunca cedem aos rituais de degustação dos enólogos (girar o vinho no copo, sentir o cheiro e depois dar um gole com o nariz enfiado dentro do copo, seguido por uma bochechada como se tivesse acabando de escovar os dentes). As parisienses consideram que elas nasceram com o "nariz" e com o "paladar", e que, portanto, não precisam fazer mais nada para se passarem por especialistas.

SAMEDI

As verdadeiras parisienses não saem sábado à noite, quando os restaurantes e as boates da cidade estão cheios de estudantes e de gente de fora. Nenhum evento importante seria marcado para esse dia, portanto, não há com o que se preocupar. Ela não está perdendo nada. Sábado à noite, as parisienses ficam em casa, para um jantar com poucas pessoas. Uma vez por mês, a noite é reservada para alguma atividade cultural: teatro, ópera, visita noturna ao museu, um clássico em preto e branco em uma salinha de cinema antiga. É impensável organizar uma festa em casa em um sábado à noite (a menos que seu aniversário caia exatamente nesse dia).

PSYCHANALYSTE

A maior parte dos parisienses vai ao psicanalista e é capaz de conversar por horas sobre isso. Os que não vão são "radicalmente contra" e pensam que a cura das suas neuroses seria a condenação da sua criatividade. Todos têm opiniões bem específicas sobre isso. Ou seja: é melhor que o psicanalista seja homem ou mulher, dependendo se você é homem ou mulher? É melhor ir a um lacaniano, freudiano ou a um junguiano? É preciso pagar as consultas que você faltar ou as que caem em feriados? Mas, por outro lado, as parisienses não comentam jamais sobre o objeto da análise — da mesma forma que não contam os sonhos —, uma vez que não se deve falar demais sobre si mesmo (é de muito mau gosto).

BOIRE UN VERRE

As parisienses adoram "sair para beber", o que consiste exatamente na mesma atividade de ir "tomar um café", só que depois das 18h. Paris é uma cidade repleta de bistrôs e de mesas a céu aberto, onde se pode ficar conversando por horas e horas. Portanto, convidar alguém para "tomar um chope" é uma forma muito informal de convidar alguém para sair e conversar enquanto se bebe um pouco. É uma ocasião que não precisa de nenhum motivo especial, que dura entre uma e duas horas, durante as quais diversos temas são discutidos, desde o mais íntimo (a masturbação) ao mais genérico (o clima). É muito agradável e nada comprometedor.

SOUS-TEXTE

As parisienses dedicam muito tempo à análise das "entrelinhas", ou seja, o que há por trás das palavras, do pensamento. Isso gera discussões descontroladas sobre "o que ele realmente quer dizer quando emprega essas palavras?" ou "o que significa a minha sogra me dar esse presente?" ou "será que isso que eu fiz foi um ato falho?" etc. etc. etc. Porque as parisienses acham que leem os pensamentos dos outros melhor do que qualquer outra pessoa. Elas passam horas tricotando e tentando decodificar o sentido de todos os atos e gestos que ocorreram em volta delas, até que todos (ela, inclusive) desistam por exaustão.

CROISSANTS

É um outro clichê, tão verdadeiro quanto o do camembert: as parisienses comem croissants. Esse troço em forma de lua crescente, com cheiro de manteiga e que deixam o rosto, as roupas e os lençóis cheios de migalhas. Elas os comem domingo de manhã com os filhos. Segunda-feira de manhã antes de um dia de trabalho estressante. Durante as férias, já que, sem eles, não seriam férias de verdade. E como elas fazem para não engordar? Porque elas decidiram que tinham o *direito* de comer croissants sem que ninguém viesse encher o saco delas com essa história de calorias. É o luxo que elas se dão. *Merde alors!*

THÉÂTRE

É incrível o número de teatros na capital francesa. Todas as noites, centenas ou até milhares de parisienses se acomodam em salas com cortinas vermelhas, com cadeiras desconfortáveis, seja para assistir aos grandes clássicos da *Comédie Française* ou a um humorista novo em uma sala minúscula no norte de Paris. Como em muitas das grandes cidades, Paris atrai atores que migram para tentar a sorte. Tanto que pelo menos duas ou três vezes por ano um amigo a arrasta para ver sua última criação em uma sala que fica no subsolo de um teatro bem longe de onde você mora, um pesadelo. Já os parisienses mais velhos fazem um passaporte que dá direito a assistir a todas as estreias do ano nos grandes teatros públicos da cidade. Na verdade, é justamente isso que faz o parisiense se dar conta de que está ficando velho.

MARCHÉ

Cada bairro de Paris tem o seu *marché*, ou seja, sua feira. Alguns são diários, outros podem acontecer em lugares fechados, mas a maior parte dessas feiras acontece duas vezes por semana, a céu aberto, em uma praça. As parisienses adoram fazer feira. Lá, encontram legumes ainda com um pouco de terra na casca e caramujos escondidos nas verduras. Elas adoram conversar com os feirantes e mostrar que são freguesas. Dependendo do bairro, os *marchés* podem ter um preço absurdamente caro ou muitas pechinchas. Vai-se à feira com uma roupa descontraída, com uma sacola enorme no ombro. Ou até mesmo com aqueles carrinhos dobráveis que as vovós sempre levam para o mercado, onde você pode inclusive acomodar sua baguete. Algumas feiras são especializadas. É também uma boa oportunidade para encontrar pessoas do seu bairro e para *boire un verre* antes de ir para casa preparar o almoço. Ir ao *marché* é um passeio delicioso, que faz todo mundo se lembrar da infância.

PLOUC

Pronuncia-se {plūk}. É um termo que se refere a uma atitude considerada "comum", "sem charme", "vulgar" até, do ponto de vista de uma parisiense. Não tem nada a ver com classe social: a primeira-dama da França pode ser considerada *plouc* se, por exemplo, conversar em público com o marido chamando-o pelo apelido.

CADERNO DE ENDEREÇOS

Para desfrutar sua cidade da melhor forma possível, você precisa antes de tudo se conhecer. Ou seja, saber quais são suas necessidades, seus desejos, seus problemas. Só assim você poderá lidar com eles.

Cada lugar tem uma função, não se leva a tia para almoçar no mesmo lugar em que marca com o amante.

Você também pode encontrar:

* SEU REFÚGIO INESPERADO

Um lugar remoto, meio esquisito, por onde passeia quando precisa arejar as ideias. Uma viagem no tempo.

Galeries de Paléontologie et d'Anatomie Comparée
2 rue Buffon 75005 Paris
www.mnhn.fr/fr/visitez/lieux/galeries-anatomie-comparee-paleontologie
Museu

* NO FIM DA NOITE

Aquele restaurante que não fecha nunca. Para onde vão os atores depois da peça, os namorados quando precisam matar a fome no meio da noite. Um clássico, das antigas.

À la Cloche d'or
3 rue Mansart 75009 Paris
www.alaclochedor.com
Restaurante

* UM LUGAR DISCRETO

Para um primeiro beijo, nada melhor do que a penumbra de um enorme aquário.

L' Aquarium de Paris
5 Avenue Albert de Mun 75016 Paris
www.cineaqua.com
Zoológico

* SUA SALA DE REUNIÃO

Uma casa de chá japonesa, neutra e chique, para marcar uma reunião de trabalho de último minuto.

Salon de thé Toraya
10 rue Saint Florentin 75001 Paris
www.toraya-group.co.jp/paris/salon/
Restaurante / Casa de chá

* PASSEIO PELA CIDADE

Conheça sempre um lugar da cidade carregado de história, onde você pode fazer um piquenique ou um passeio romântico nos dias de sol.

Les Arènes de Lutèce
47-59 rue Monge 75005 Paris
Monumento

* ROUPAS PARISIENSES

A loja cujos vestidos, blusas e casacos a transformam instantaneamente em uma parisiense nata. Indefinível, chique e poética.

Thomsen-Paris
98 rue de Turenne 75003 Paris
www.thomsen-paris.com
Moda

* COMIDA CASEIRA

Um lugar para saborear o tempero das suas avós. Há vinte anos, um dos segredos mais bem guardados de Paris: legumes assados *à l'ancienne*, peixes cozidos no vapor e suspiros tradicionais. Onde um jantar vale por uma aula de bom gosto.

Pétrelle
34 rue Pétrelle 75009 Paris
www.petrelle.fr/
Restaurante

* PLANTAS MEDICINAIS

Caso você precise de muita antecedência para marcar uma consulta com seu naturopata, chegou a hora de você conhecer essa lojinha. Lá você consegue um diagnóstico rápido, eficaz e de graça. Para cuidar de si mesma com uma seleção personalizada de plantas estimulantes, antioxidantes e purificantes.

Herboristerie du Palais Royal, Michel Pierre
11 rue des Petits Champs 75001 Paris
www.herboristerie.com/
Bem-estar

* ANIVERSÁRIO

Já que se sentir culpada em relação aos filhos está fora de questão (nossa mãe nunca passou seis horas na cozinha preparando um bolo de aniversário para nós, até onde sabemos), basta fazer uma encomenda para encantar todo mundo com as surpreendentes criações culinárias.

Chez Bogato
7 rue Liancourt 75014
www.chezbogato.fr
Culinária

* CARTAS NA MESA

Você marca um encontro na frente de um quadro, para que ele entenda de antemão suas verdadeiras intenções. Por exemplo, *La Liberté guidant le peuple*, de Eugène Delacroix: uma mulher que não tem medo de expor os seios.

Musée du Louvre
75002 Paris
www.louvre.fr
Museu

* DE MANHÃZINHA

O lugar mais lindo da cidade para se tomar café da manhã. A beleza é sempre uma boa companhia para começar o dia. Se, além disso, for perto de uma estação de trem, nunca se sabe, você pode até acabar decidindo dar uma escapada.

Le Train bleu
Gare de Lyon
Place Louis-Armand 75012 Paris
www.le-train-bleu.com
Restaurante

* L'ORIGINE DU MONDE

Uma praça em forma de triângulo, porque é bem interessante namorar em um lugar cuja forma lembra o sexo da mulher.

Place Dauphine 75001 Paris
Monumento

* NOITE COSMOPOLITA

Um restaurante de hotel onde se pode desfrutar um jantar — e quem sabe até fazer amigos, caso perca o interesse no seu acompanhante.

Hôtel Amour
9 rue Navarin 75009 Paris
www.hotelamourparis.fr
Restaurante / Hotel

* HOTEL COM H MAIÚSCULO

Um hotel de luxo no coração de Montmartre. Um ótimo lugar para um almoço discreto ao meio-dia.

L'Hôtel Particulier
23 avenue Junot, 75018 Paris
www.hotel-particulier-montmartre.com
Hotel

* PARA QUANDO BATE UM DESÂNIMO

O bar de um luxuoso hotel onde se pode beber uma cerveja com a sua melhor amiga com o coração partido. Porque alugar quarto é uma fortuna, mas um drink, tudo bem. Nada como esse pequeno luxo revigorante.

Bar Anglais, Hôtel Le Raphaël
17 avenue Kleber 75116 Paris
Bar / Hotel

* O ESCRITÓRIO MAIS LINDO DA CIDADE

Uma biblioteca histórica onde você pode passar o dia estudando para as provas, escrevendo, inspirando-se.

Bibliothèque Mazarine
23 Quai de Conti 75006 Paris
www.bibliotheque-mazarine.fr
Biblioteca

* CARTÃO-POSTAL

Uma pâtisserie de bairro onde se pode comer uma comidinha caseira ou beber um delicioso chocolate quente. Frequentado por alunos e professores da Sorbonne.

La Pâtisserie Viennoise
8 rue de l'École de Médecine 75006 Paris
Bistrô

* UM JARDIM URBANO

Para tomar um chá com sua mãe ou com a melhor amiga. O jardim é tão lindo que você pode até fingir que é uma personagem de Jane Austen.

Musée de la vie romantique
16 rue Chaptal 75009 Paris
Museu / Casa de chá

* RESSACA

Para se recompor depois de uma noite em claro com um bom cheeseburger e pôr a cabeça no lugar com um *bloody mary*.

Joe Allen
30 rue Pierre Lescot 75001 Paris
Restaurante

* CINEMA PARADISO

A salinha de cinema onde você se sente em casa, principalmente nos domingos à noite, quando quer ver os clássicos italianos.

Le Reflet Médicis
3 rue Champollion 75005 Paris
Cinema

* PRESENTES PERFEITOS

Na falta de tempo ou de ideias, lá vai uma lista de lojas onde sempre vai achar um presente que agradará. Em ordem de preço, do mais acessível ao mais luxuoso.

L'Ecume des Pages
174 Boulevard Saint-Germain 75006 Paris
Livraria

La Boutique de Louise
32 rue du Dragon 75006 Paris
Joias / Decoração

Cire Trudon
78 rue de Seine 75006 Paris
Velas

7 L
7 rue de Lille 75007 Paris
Livros finos

Merci
111 boulevard Beaumarchais 75003 Paris
Concept Store

Astier de Villatte
173 rue Saint-Honoré 75001 Paris
Decoração

colette
213 rue Saint-Honoré 75001 Paris
Loja-conceito

* FIM DE SEMANA VINTAGE

Mesmo que saia de mãos vazias, terá um pouco a experiência de ter viajado no tempo e no espaço. E também vai se sentir mais saudável, depois de andar tanto para conseguir uma pechincha.

Marché aux Puces de Clignancourt
Porte de Clignancourt 75018 Paris
Mercado de pulgas

* JANTAR IMPROVISADO

Aquela lojinha que fica aberta até tarde da noite e nos finais de semana, onde pode comprar um bom vinho, queijo, ovos frescos, frios e chocolates artesanais. Enfim, tudo o que precisa para receber os amigos para um jantar de última hora.

Julhès
54 rue du faubourg Saint-Denis 75010 Paris
Mercado / Mercearia

* SEU QUARTEL-GENERAL

Um lugar que seja ao mesmo tempo uma extensão da sua sala e do seu escritório. Tudo em um só café. Você é amiga do dono, recarrega seu computador, bebe um suco e pede para baixar a música... E a comida, claro, é caseira e deliciosa.

Restaurant Marcel
1 villa Léandre 75018 Paris
Café / Bistrô

* UM POUCO DE LUXO

Uma varanda onde você se sente uma rainha. Você pagou um pouco mais caro pelo café, é verdade, mas a vista é deslumbrante. E isso não tem preço.

Le Café Marly
93 rue de Rivoli 75001 Paris
Café / Restaurante

* AVENTURA

Um bar underground onde tudo é possível: a temperatura sobe assim que você passa pela porta, e os cantos escuros aguçam sua imaginação.

L'Embuscade
47 rue de la Rochefoucault 75009 Paris
Bar / Restaurante

* MADELEINE DE PROUST

Para voltar à infância e descobrir as melhores tortas e bolos de Paris. Doces e salgados.

Tarterie Les Petits Mitrons
26 rue Lepic 75018 Paris
Loja de doces

* DOMINGO EM SAINT-OUEN

Depois de caçar objetos, roupas, vinis e móveis antigos — no melhor mercado de pulgas de Paris, passe um tempo nesse restaurante para comer mexilhões fritos e ouvir jazz ao vivo.

La Chope des Puces
122 rue des Rosiers 93400 Saint-Ouen
Mercado de pulgas

Agradecimentos

As autoras agradecem a Alix Thomsen, que é o coração deste livro.

Obrigada a Christian Bragg, Dimitri Coste, Olivier Garros, Karl Lagerfeld, Johan Lindeberg for BLK DNM, Raphaël Lugassy, Stéphane Manel, Jean-Baptiste Mondino, Sara Nataf, Yarol Poupaud, So Me e Annemarieke Van Drimmelen pela gentileza de terem compartilhado conosco seus trabalhos, e também a Susanna Lea, Shelley Wanger, Naja Baldwin e Françoise Gavalda.

E também:

A Claire Berest, à família Berest, Diene Berete, Bastien Bernini, Fatou Biramah, Paul-Henry Bizon, Odara Carvalho, Carole Chrétiennot (Le Café de Flore), Jeanne Damas, Julien Delajoux, Charlotte Delarue, Emmanuel Delavenne (Hôtel Amour), Emmanuelle Ducournau, Maxime Godet, Clémentine Goldszal, Camille Gorin, Sébastien Haas, Guillaume Halard, Mark Holgate, Cédric Jimenez, Gina Jimenez, Tina Ka, Nina Klein, Bertrand de Langeron, Magdalena Lawniczak, Pierre Le Ny, Françoise Lehmann, Pei Loi Koay, Téa et Peter Lundell, Ulrika Lundgren, Saif Mahdhi, à família de Maigret, Gaëlle Mancina, Stéphane Manel, Tessa Manel, Jules Mas, Martine Mas, à família Mas, Jean-Philippe Moreaux, Roxana Nadim, Chloé Nataf, Fatou N'Diaye, Anne Sophie Nerrant, Nicolas Nerrant, Next Management Team, Priscille d'Orgeval, Eric Pfrunder, Anton Poupaud, Yarol Poupaud, à família Poupaud, Charlotte Poutrelle, Elsa Rakotoson, Gérard Rambert, Juliette Seydoux, Rika Magazine, Joachim Roncin, Christian de Rosnay, Xavier de Rosnay, Martine Saada, Victor Saint Macary, Sonia Sieff, David Souffan, Samantha Taylor Pickett, Pascal Teixeira, Rodrigo Teixeira, Hervé Temime, Thomsen Paris, Anna Tordjman, Emilie Urbansky, Jean Vedreine (Le Mansart), Virginie Viard, Camille Vizzavona, Aude Walker, Mathilde Warnier, Adèle Wismes, Rebecca Zlotowski.

Créditos das imagens

2	© Annemarieke Van Drimmelen
	Modelo: Caroline de Maigret
5	© Caroline de Maigret
	Modelo: Sonia Sieff
9	© Stéphane Manel
10	© Imagno/Getty Images
11	© Bettmann/CORBIS
12	© Sunset Boulevard/Corbis
13	© Photo by GAB Archive/Redferns/Getty Images
15	© Caroline de Maigret
	Modelos: Anne Berest e Bastien Bernini
20	© Anne Berest
22	© Caroline de Maigret
24	© Caroline de Maigret
26	© SuperStock/Corbis
27	Katharine Hepburn © Bettmann/Corbis
29	© Caroline de Maigret
33	© Caroline de Maigret
	Modelo: Fatou N'Diaye
39	© Caroline de Maigret
	Modelo: Camille Gorin
41	© Caroline de Maigret
42	© So-Me
49	© Caroline de Maigret
50	© Caroline de Maigret
	Modelo: Caroline de Maigret
54	© Johan Lindeberg for BLK DNM
	Modelos: Caroline de Maigret e Yarol Poupaud
55	© Johan Lindeberg for BLK DNM
	Modelos: Caroline de Maigret e Yarol Poupaud
57	© Caroline de Maigret
66	© Stéphane Manel

67	© Stéphane Manel
68	© Stéphane Manel
68	© Stéphane Manel
69	© Stéphane Manel
70	© Caroline de Maigret Modelo: Fatou N'Diaye
72	© Caroline de Maigret Modelo: Sonia Sieff
77	© Caroline de Maigret
81	© Caroline de Maigret Modelo: Sophie Mas
83	© Johan Lindeberg for BLK DNM Modelo: Caroline de Maigret
84	© So-Me
89	© Caroline de Maigret Modelo: Sonia Sieff
90	© Caroline de Maigret
93	© Stéphane Manel
95	© Caroline de Maigret Modelo: Audrey Diwan
98	© Caroline de Maigret
101	© CORBIS
102	© Caroline de Maigret Modelo: Mathilde Warnier
105	Charlotte Rampling © Richard Melloul/Sygma/Corbis
106	© Caroline de Maigret
109	© Stéphane Manel Modelo: Anne Berest
111	© Stéphane Manel Modelo: Anne Berest
113	© Caroline de Maigret Modelos: Anne Berest and Claire Berest
115	© Caroline de Maigret Modelo: Mathilde Warnier
117	© Michel Artault/Gamma-Rapho via Getty Images
118	© Guy Le Querrec/Magnum Photos
119	Arthur Miller, Simone Signoret, Marilyn Monroe, Yves Montand © John Bryson/Sygma/Corbis
121	© Yarol Poupaud Modelo: Caroline de Maigret
125	© Annemarieke Van Drimmelen Modelo: Caroline de Maigret

127	© Caroline de Maigret
128	© Caroline de Maigret
	Modelo: Anne Berest
130	© So-Me
135	© Stéphane Manel
	Modelo: Stéphane Manel
136	© Caroline de Maigret
138	© Sophie Mas
	Modelo: Sophie Mas
138	© Sophie Mas
	Modelo: Sophie Mas
138	© Sophie Mas
	Modelo: Sophie Mas
140	© Sophie Mas
	Modelo: Sophie Mas
140	© Sophie Mas
	Modelo: Sophie Mas
140	© Sophie Mas
	Modelo: Sophie Mas
140	© Sophie Mas
	Modelo: Sophie Mas
145	© Annemarieke Van Drimmelen
	Modelo: Caroline de Maigret
147	© Douglas Kirkland/Sygma/Corbis
149	© Jean-Baptiste Mondino
	Modelo: Caroline de Maigret
153	© Caroline de Maigret
	Modelo: Sophie Mas
159	© Caroline de Maigret
161	© Annemarieke Van Drimmelen
	Modelo: Caroline de Maigret
162	© Caroline de Maigret
	Modelos: Mathilde Warnier
	Fatou N'Diaye
	Alix Thomsen
164	© Caroline de Maigret
166	Charlotte Rampling with son Barnaby © Alain Dejean/ Sygma/Corbis
173	© Caroline de Maigret
174	© Johan Lindeberg for BLK DNM
	Modelo: Caroline de Maigret

175	© Johan Lindeberg for BLK DNM
	Modelo: Caroline de Maigret
176	© So-Me
181	© Yarol Poupaud
	Modelos: Caroline de Maigret e Anton Poupaud
182	© Caroline de Maigret
185	© Caroline de Maigret
187	© Caroline de Maigret
188	© Caroline de Maigret
189	© Caroline de Maigret
190	© Caroline de Maigret
193	© Caroline de Maigret
195	© Sara Nataf
	Modelo: Jeanne Damas
200	© Caroline de Maigret
202	© Caroline de Maigret
204	© Caroline de Maigret
	Modelo: Jules Mas
206	© Caroline de Maigret
209	© Caroline de Maigret
	Modelo: Adèle Wismes
212	© Caroline de Maigret
215	© Caroline de Maigret
219	© Yarol Poupaud
	Modelo: Caroline de Maigret
223	© Caroline de Maigret
226	© So-Me
229	© Olivier Garros
	Modelo: Martine Mas
254	© Raphaël Lugassy

Audrey, Caroline, Sophie e Anne

Sobre as autoras

ANNE BEREST é a autora de dois romances e uma biografia de Françoise Sagan, publicada em 2014. Ela também escreve para televisão, cinema e teatro.

CAROLINE DE MAIGRET estudou literatura na Sorbonne e depois mudou-se para Nova York para trabalhar como modelo. Voltou a Paris em 2006 com a finalidade de fundar sua gravadora. É embaixadora da Chanel desde 2012 e ajuda mulheres em todo mundo por meio da ONG CARE. Em 2014 tornou-se musa da Lancôme.

SOPHIE MAS nasceu e cresceu em Paris. Depois de se formar pela Sciences Po e HEC, fundou sua própria empresa cinematográfica e trabalha como produtora em Los Angeles, Nova York e São Paulo.

AUDREY DIWAN tornou-se roteirista depois de estudar jornalismo e ciência política. Escreveu o roteiro de *La french*, de Cédric Jimenez, com Jean Dujardin, e agora trabalha em seu primeiro longa-metragem como diretora. Também é colaboradora da revista *Stylist*.

1ª EDIÇÃO [2014] 8 reimpressões

ESTA OBRA FOI COMPOSTA PELA FILIGRANA EM ADOBE GARAMOND
E IMPRESSA EM OFSETE PELA GEOGRÁFICA SOBRE PAPEL ALTA ALVURA
DA SUZANO S.A. PARA A EDITORA SCHWARCZ EM MAIO DE 2021

A marca FSC® é a garantia de que a madeira utilizada na fabricação do papel deste livro provém de florestas que foram gerenciadas de maneira ambientalmente correta, socialmente justa e economicamente viável, além de outras fontes de origem controlada.